社会を生き抜く

伝える力 A to Z

心・言葉・声 11のレッスン

日本語口語表現教育研究会
監修　荒木晶子

著
新木 睦子　稲垣 文子　遠田 恵子　大輪 香菊　梶谷 久美子
片山 奈緒美　斉木 かおり　鈴木 有香　瀬沼 文彰　高山 昇
永野 浩美　古谷 知子　山崎 貞子　山田 彩子（深沢 彩子）

実教出版

まえがき

2008年に日本で初めてアップル社のiPhoneが発売され，そして2013年には日本の大手携帯電話会社からも発売され，スマートフォンが日本で一挙に普及しました。今では，若者のスマートフォンの普及率は90%になり，私たちのコミュニケーション環境は目まぐるしい変化を遂げています。

キャンパス内も例外ではありません。学生への連絡やシラバス紹介，授業の課題提出はすべてe-Campusを通して行われ，教員への連絡事項，研究費や出張旅費請求などもすべて学内メールで処理されます。つい最近まで，所定の用紙に報告内容を記入して印刷し，押印をして事務室に提出していたのがはるか昔のように思われます。

確かにスマートフォンの普及によって私たちの生活は便利になりました。特に今の若者には，スマートフォンのない生活は考えられないほど，日常生活の大切な一部になっています。何一つ苦労することなく指一本で情報収集ができ，多くの友人とつながり，就職情報を収集してエントリーシートを提出するのもすべてメールで行われる時代です。若者のスマートフォンを駆使する能力の高さには敬服するばかりです。

しかし，高度に発達した先端技術を使いこなす能力が高いからといって，よりよい人間関係を築く対人での実践コミュニケーション能力が上がっているかといえば，そうではありません。「コミュニケーションがうまくとれるようになりたい」「苦手意識を克服したい」という学生が現在も大学のコミュニケーション科目に殺到しています。

大学で学生の日本語表現能力を高める授業を担当して30年になりますが，スマートフォンを駆使する現代のほうが，人と向き合い直接コミュニケーションを取ることに苦手意識をもつ学生が多いような気がします。彼らがスマートフォンを使いこなす技術をもっているのに，「実は，人と直接話すのは苦手」という実践コミュニケーション能力が伴っていないことへのギャップに強い戸惑いを感じるのです。

考えてみると，機械操作の技術と同じように，実践コミュニケーション能力も訓練なくして上達はありません。「話す（自己表現力を育成する）」教育は，日本の教育制度の中では歴史が浅く，その教育の重要性の認識が十分に高まっておらず，大学レベルでの実践活動を行うことに消極的な態度をもち続けている大学も多いのが現状です。しかし，桜美林大学は全国のどの大学よりも早く，日本語表現教育に積極的に取り組んできた歴史があります。1989年，国際学部の新設に伴い，大学教育を受ける上で必要な「日本語で論理的に思索し，自らの考えを明晰に表現する能力」をつけさせるため，日本語の「読み」「書き」「話す」授業を，新入生全員の必修科目として開講しました。この科目が他の大学の表現科目と大きく異なるのは，「口語表現法」の「話す」教育を，「文章表現法」の「読み」「書く」教育とは別の独立した科目としたことです。

国際学部新設から1年後の1990年に始まった「口語表現法」の授業は，その後の30年で，学内のさまざまな学部改変の変遷を経た今も，桜美林大学の基礎教育の重要な教科のひとつで，2019年度は1700人の新入生が必修科目として履修しています。

口語表現法の授業は，少人数制で行われる学生主体の「学生参加型」の授業です。学生は，課題について，情報の発信者としてスピーチを行い，そのスピーチを聞いている他の学生は，発表者のスピーチを批判的に「聴く」力が訓練されます。発表者は，発表を聞いた他の学生から，自分のスピーチに対する評価コメントをもらい，その後ビデオを見て自分の話す姿をチェックします。そして，自分のスピーチの聴き取りと自己分析を行い，レポートを提出する（「書く」）ことで，新たな自分に気づく「自己発見型」の授業でもあります。口語表現法は，クラスメイトとのかかわりの中から，学生が自ら学び，自分自身に気づき，発見し，向上していくことができる，学生主体の授業なのです。知識集積型教育の講義形態という伝統的な枠組みを超えて，情報発信型の人間育成を目指す，実践的な教育方法を取り入れているのです。

口語表現法のような実践教育を円滑に行うには，一人ひとりの学生の立場に立った，担当する教員のきめ細やかな指導が欠かせません。授業内では，話すことに苦手意識をもつ学生を励まし，筋道の立った内容で話ができるようにサポートできるファシリテーターとしての指導力が求められます。学生が提出したレポートには，毎回添削をして，細やかなアドバイスを書いて返却する地道な作業もあります。何よりも，教員自身が教える内容を実践できる見本となれる高いコミュニケーション能力の持ち主でなければなりません。学生につけてもらいたい自己表現能力を教員自身が学生の前で見せてあげることができなければ，説得力がありません。教員には，どのような場面でも柔軟に対応できるコミュニケーション能力が必須なのです。

この本『社会を生き抜く伝える力　A to Z　心，言葉，声　11のレッスン』は，現在桜美林大学のテキストとして使われている『伝わるスピーチ A to Z』のサブテキストとして，現在口語表現法の授業を担当してくださっている先生方により執筆されました。今回執筆された先生方は，すでに社会でコミュニケーションのプロとしてそれぞれの分野で活躍されている方ばかりです。

コミュニケーション環境が大きく様変わりしたこれからの社会を生き抜くために求められる力，それは，「話す」ことへの苦手意識を克服し，母語である日本語で論理的に自らを表現できる力を身につけることです。その思考力養成のためには，知識である「表現内容」とともに，「表現方法」の実践教育が不可欠です。高知大学の吉倉紳一氏（1997）が指摘しているように表現内容と表現方法は対立する概念ではなく，同時に教育が行われるべきものです。どんなに優れたアイデアや理論でも，表現方法が伴わなければ，相手を説得するどころか，理解してもらうこともむずかしいからです。

この本は，大学生用のテキストとして書かれたものですが，大学の授業だけではなく，社会人の方々にも役立つ，人前で話すときのアドバイスや心得がたくさん書かれています。人間は，直接のコミュニケーションを通して，人間性を高めていくことができるのです。そして，コミュニケーション能力は，もって生まれた能力ではなく，訓練することで，いくらでも伸ばすことができる能力です。苦手意識を克服することができるのは，他の誰でもありません。自分自身です。

この本が皆さんの「話す」ことへの苦手意識を克服し，筋道を立てて話すことができるようになり，話すことの楽しさを体験することで，他の人とのよりよい人間関係作りへの一助になれば幸いです。

令和1年12月

荒木晶子

もくじ

1章

お笑い芸人の「しゃべり論」

瀬沼文彰

1 はじめに

2000年以降，企業がコミュニケーション能力を学生の皆さんに求めるようになりました。大学生は，就職活動のことを考えると，この能力を意識せざるをえません。また，友人関係や，バイト先の人間関係，あるいは恋愛においても，この能力の重要さは多くの大学生が熟知していることだと思います。

いろいろな人とうまく話ができるようになりたい。人見知りを克服し初対面の人とでも親しく話したい。自分を出したい。話すことができなくて気まずい感じを味わいたくない。世代や性別を問わず楽しく話したい。こうした気持ちは誰にでもあるはずです。

（1）コミュニケーションがうまいのは誰？

では，コミュニケーションがうまいのはいったい誰なのでしょう。

家族や友人，学校の先生やアルバイト先の誰かを思い浮かべる人もいるかもしれません。身近な友人や先輩を思い浮かべる人もいるかもしれません。しかし，誰も思い浮かばないという人もいるでしょう。そのような場合，行き着く先は，テレビに出演するタレント，特にお笑い芸人ではないでしょうか。確かに，お笑い芸人はテレビやネットで司会も上手にこなしますし，コメンテーターとしてもお茶の間の意見を代弁してくれます。バラエティ番組でトークをすれば，自分のポジションから外れることなく，笑える部分にツッコミを入れたりして，場を盛り上げます。その場の空気を読むのも上手で，女優や俳優，歌手や文化人，政治家，スポーツ選手のように，職や年齢を問わず誰とでも親しく，そして楽しそうに話します。

（2）芸人の世界は努力

私は，大学教員になる前に，大手芸能事務所で芸人をしていました。瀬沼・松村という何とも売れなそうなコンビ名をかかげて，都市部の大小，さまざまな舞台で漫才をしていました。養成所期間を含めて4年弱芸人の世界にいましたが，その間，さまざまな芸人を見てきました。

養成所時代の同期の芸人も現在，たくさん，テレビで活躍していますし，かわいがってくれた先輩たちの中には，テレビで司会を務めるような人も出てきました。

お笑いの力は，才能とかセンスで，生まれ持っての能力だと日本では語られがちです。しかし，私が見てきたのは才能の世界ではなく，むしろ，努力のほうが重要な世界でした。

(3) 努力次第でコミュニケーション力アップ

口語表現の授業のスピーチでも，努力次第で話す力は伸びることがテキストで強調されています。コミュニケーションは努力次第で変わるものです。それは，芸人の世界でも，一般の人の日常や仕事でも同じだということです。

2 準備と練習と型

多くの芸人は，台本作りに多大な時間を割き，その後，ひたすら練習を重ねます。私の所属していた芸能事務所では，デビューして間もない若手芸人たちは，通常1分のネタ作りから始まります。皆さんからすればたったの1分と思うかもしれませんが，その1分間に笑う場所を少なくとも5回程度，多い場合は10回ほど作る必要がありました。

ネタ作りは私自身も経験しましたが，とにかく大変なもので時間がかかります。自分たちのおもしろいと思ったものをどう表現すればいいのか，どう言えば伝わるか，相手の立場にどう立てばいいか，客席は自分たちのネタをどう見るかなどを踏まえながら，ネタを作っていきます。

また，ネタの導入部分で観客を引き付けるための「つかみ」は，お笑いのネタの中では特に重要だったため，どの芸人も慎重に，そして，自信をもてるレベルに仕上げるのに苦労していました。

ネタは通常，コンビの片方が作りますが，2人で意見を出し合うタイプもいましたし，掛け合いをしながらそれをまとめていくタイプもいました。最近では，LINEなどのグループチャットで大喜利のテーマのようなものを出し，友人や仲間と皆で作っていくという手法もあるようです。

いずれにしても，アイデアを絞り出す作業は，次々とひらめいている間はとても楽しいもので，時間もあっという間に過ぎていくものでしたが，何も出てこないときは，大変つらく苦しかったことをはっきりと覚えています。

(1) しゃべりの型は役立つ

ネタができあがれば，今度は練習です。練習をしながら，再度台本を書き直したり，セリフを微調整したり，ときには，大幅に変更することもあります。コンビの場合は，気に入らない部分があると言い合いになりますし，もめることもあります。

練習に関しても，若手の間はストイックに繰り返します。特に新しいネタをするときには，間やテンポ，ジェスチャーや言い方も含めて，何度も何度も繰り返し練習します。
ネタ作り，その後の練習，本番，この一連の流れの中で芸人たちが獲得したかったものは，「しゃべりの型」です。なぜなら，「型」ができあがれば，格段に人前で話しやすくなるからです。それを手に入れた後は，練習量が減るコンビもいました。また，「型」に当てはめることで，少しのミスもカバーできるようになります。「型」は漫才などのネタを超え，アドリブでの会話や司会，日常会話にも役立ちました。

（2）しゃべりの型を作って将来に活かそう！

これらは，お笑い芸人の準備方法とプロの芸人としての「型」の話です。しかし，この話は口語表現の授業にも当てはまると思います。プロの芸人でも，ネタ作りには時間が相当かかります。相手の立場に立ち，この構成でいいのかを繰り返し点検していきます。表情やジェスチャー，自分の体の動きや言い方などに関しても，事前に入念に準備をします。本番は，そこまでやっても思い通りにいかないものです。しかし，そこまでやることによって見えてくることもあります。また，練習に関しても芸人のようにストイックに行ってみることで，自分は何ができないのか，何がうまいのかという点に気がつくこともできます。自分にとっての十分な練習量を知ることもできます。その先にあるのは，自分の「型」です。「型」ができてしまえば大きな自信になりますし，人前で話すことそのものにも余裕が生まれます。そのため，練習量がやや少なくなってもスラスラと話せるようになります。口語表現の授業でどのレベルまでもっていくか。その一歩は準備にあります。また，ここで述べた芸人の準備方法もどこか参考にできるのではないでしょうか。

3 模倣してコミュニケーション能力をアップさせよう

若手芸人の仕事は，ネタを客席の前で披露することです。もちろん，その場にいる客席の笑いをとることが仕事ですが，漫才を演じながら，自分たちのネタを客観視して，自己分析を行うことで，しゃべる技術を向上させていくことも重要でした。お笑いの場合，笑いという反応があるため，舞台では常に結果が出ます。笑わせる場所が10個あれば，披露した後には，10個の結果が出ます。その結果をもとに，ここはウケた，ここはウケなかった，なぜだろう。どうすればウケるようになるのだろう。おもしろいはずだが，どうすれば客席に伝わるのだろう。など，さまざまな点について検討します。
また，自己分析では他者との比較がとても重要でした。他者と比較することで見えてくることが多いからです。芸人は，生でもテレビでも，ネットでも，先輩・後輩のネタをたくさん見て勉強します。自分の中でおもしろいと思える人，その人のようになりたい人がいれば，それを積極的に模倣します。

（1）コミュニケーションの基本は模倣

コミュニケーションでは，乳幼児たちが言語を覚え，話ができるようになる過程と同じように，模倣はとても重要な作業です。お笑い芸人たちも，模倣したい対象が複数いれば，それをまねていく中で自分らしい部分を少しずつ形作っていきます。私もいろいろな人の話し方を模倣しようと，芸人時代は常に研究でした。

2000年から始まったお笑いのネタブーム以降，若手芸人のネタのクオリティが上がったとしばしばお笑い評論では論じられます。若手芸人にとって，ネットの時代は，見ようと思えばいくらでもネタを見ることのできる時代です。繰り返し見ることもできますし，表情などの細かい部分も一時停止して研究できます。クオリティが上がった背景にはさまざまな理由がありそうですが，ネット時代に膨大な量のネタを手軽に見られることも大きく影響していそうです。

（2）誰のどんなところを模倣すべきか

今はYouTubeなどの動画サイトが複数ありますし，大手企業のプレゼンやスピーチを誰でも簡単に見ることができます。TED Talkのように，世界的に著名な人のスピーチもすぐにネットで見られます。話し方に対してアンテナを張って，情報収集をしつつ，自分にとってうまいと思える人を探すのは，誰にでもすぐにできることです。うまい人が見つかれば，今度はどのように真似をしていくかが課題になります。何から模倣していいかわからないときは，口語表現のチェックポイントである視線，表情，ジェスチャー，構成など，部分的に意識して模倣していくことを心がけてみてください。でもまずは，口語表現の授業を受けながら，自分自身，模倣したいと思えるクラスメイトをぜひ探してみましょう。

4 芸人時代に大切だったのは笑いのスキルよりもあいさつ

今，芸人になるためには，さまざまな事務所の養成所に通うのが最もスタンダードな方法になります。私も養成所に通いました。当時は，自分たちで作ったネタを構成作家の前で披露してダメ出しをしてもらう授業や，何人かで集団コントを作る授業がありました。ほかにも，お笑いとはあまり関係のなさそうなダンスの授業や，発声のためのボイストレーニングの授業などがありました。

そしてあいさつが徹底されていました。上下関係は絶対というかなり強固な体育会系のノリがあり，新人である私たちはそれを受け入れざるをえませんでした。

養成所では，私の場合，とにかく恐ろしくてあいさつを元気よく実践していましたが，卒業し，芸人の世界をのぞいてみると，次第にあいさつの大切さがわかってきました。ただ何となくあいさつをしていた私たちには，なかなかよくしてくれる先輩は見つかりませんでした。雑談をしたり，一緒に遊んだり，ご飯に連れて行ってくれるような先輩もできませんでした。しかし，しだいに先輩にご飯に連れて行ってもらった同期の話が出たり，楽屋で親しそうに先輩と話をしている同期や，舞台終わりに先輩と歩いてどこかに向かっていく同期を見るようになってきました。

（1）あいさつで差が出る

私と先輩にかわいがられた同期の違いは，あいさつに重きを置いていたかどうかだと思います。先輩にかわいがられる同期を冷静に分析してみると，あいさつに重きを置き，次のコミュニケーションにつなげることができていました。その後，私は積極的にあいさつをして，先輩の単独ライブの手伝いをして信頼関係を作ったり，何度かあいさつを交わすことで，ジュースなどを買いに行くパシリをしてみたりしました。あいさつをするだけで，先輩が私をいじってくれたり，見た目や話し方にツッコミを入れてくれたりして，笑いが生まれるようになってきました。あいさつも仕方によって，次のコミュニケーションにつながっていくことをはっきりと学んだ時期でした。あいさつを通し，親しくなり，飲みに連れて行ってもらうことも増えていきました。

あいさつによって一人の先輩と縁が作れると，今度はその先輩が別の先輩を紹介してくれます。そのような連鎖的なつながり方ができることを，卒業して1年以上してから，私はようやく気がつくことができました。あいさつをし，先輩の近くに何となく居座る。その後，先輩が話しかけてくれたら，雑談をする。ほかにも，「今度遊んでくださいよ」などをどのタイミングで言えるか，そういう何気ない一言がとにかく重要でした。

こうした行為は人間関係を広げるだけのように思われるかもしれません。しかし，あいさつができない芸人は，ほかの芸人から話すら聞いてもらえないように映っていました。

（2）あいさつで始まるコミュニケーション

コミュニケーションは個人の能力として語られることが多いですが，相手がいてはじめて成立するものです。まずは，コミュニケーションを開始する際に，あいさつによって不快ではない関係性を相手と結ぶことで，話をしっかりと聞いてもらえますし，聞く側も聞く気になるものです。こうした意味で，あいさつはコミュニケーションにおいてとにかく重要です。コミュニケーションに自信のない学生さんは，まずはあいさつから始めてみてはどうでしょう。

また，ネタの始まりと終わりには，客席に対してあいさつが必要でした。漫才師の場合，「はいどうもー○○です」と「ありがとうございました」でしたが，「はいどうもー」の一言をどう言うかが思ったより大切でした。出てきて数秒でお客さんが聞きたいと思ってくれるかどうか，それはもちろんネタでつかむことも重要でしたが，出てきてすぐの第一印象で少しでも嫌な感じを伝えないために，元気よく振る舞い，明るく「はいどうもー」のセリフを言っていました。

（3）仕事もプレゼンもあいさつで変わる

口語表現でも，仕事のプレゼンテーションでも，最初のあいさつはとにかく重要です。それは，就職活動の面接でも忘れてはならないことです。学生の皆さんは，「なんだ！　あいさつくらい」と思うかもしれませんが，口語表現の授業でスピーチの実践をする際，前に立ったら，まずは，明るく元気よく「おはようございます」や「こんにちは」をしっかりと言いましょう。言えている学生は少ないです。あいさつの言い方次第で，自分が聞きたい気持ちになるかどうかを考えてみましょう。さらにその後の自分の気持ちがどう動くかも客観視してみるといいと思います。あいさつは当たり前と思うかもしれませんが，どうあいさつをすると相手に何が伝わるのか，どういうあいさつが，どういう場面で感じがいいのか，私のあいさつはどんな表情やイントネーションで行われているのか，どんなあいさつだと相手は自分に興味をもってくれるのか，正解はないですし，場面や相手によっても変わってくるものです。しかし，この機会にいろいろなあいさつを試して相手の反応を見て，研究してみてください。その試行錯誤は大変重要ですし，ここでよいものを手に入れておけると，将来にも役立ちますし，日常のコミュニケーションにも良い影響を与えてくれることでしょう。

5　痛くないこと

芸人時代には，この「痛くないこと」があらゆる場面で要求されました。「痛いやつ」とは，舞台上で先輩たちとトークをする際に自分勝手な発言や行動をしてしまうことや，服装や見た目に清潔感がないことや，舞台裏でまともにコミュニケーションができないことや，上下関係を理解せず，先輩や社員に対して礼儀がなっていないことなどでした。ほかにも空気が読めるか読めないかなどの明確ではない暗黙のルールがあり，そこからはみ出すと，「痛いやつ」というレッテルを貼られ，先輩も含め，ほかの芸人から相手にされなくなってしまう傾向がありました。

私自身も，「痛いやつ」にならないために，基準の曖昧な「ふつう」を目指していたことを記憶しています。学生の皆さんは，売れるためにはおもしろいことが大切だと思うかもしれませんが，それ以上に，「痛くないこと」，そして，前述したあいさつが芸人にとっては重要でした。

芸人はいつも，ふざけたり，てきとうにおかしなことを言っているだけのように見えるかもしれませんが，舞台から降りれば，非常に礼儀正しく，上下関係を大切にして，場の空気をしっかりと読み，誰とでもコミュニケーションを円滑におこなっていました。何が言いたいのかといえば，芸人にとってスポットライトの当たっている表舞台で笑わせることも重要でしたが，同時に，舞台裏での他者とのコミュニケーションも重要だということです。

（1）感じがいいことは重要

口語表現の授業では，クラスメイトは基本的に誰の話にも耳を傾けるはずです。しかし，スピーチやプレゼンテーション，あるいは日常のコミュニケーションは，いつでも他者が必ずしも耳を傾けてくれたり，真剣に話を聞いてくれるわけではありません。

皆さんもそうだと思いますが，あまりにも印象が悪かったり，感じが悪いと思ったら，話を聞きたくないと思ってしまいませんか。それが人間です。また，プレゼンテーションでは，スライドを見ていればわかるから，それについてはすでに知っている知識だから，単純におもしろくないからなどの理由で聞いてもらえないこともしばしば出てきます。あるいは，営業先であれば，そもそも契約しないという結論が先に出ているため，話をまったく聞いてもらえないこともあります。もちろん，聞くべき場面で聞かない相手の側にも問題があります。しかし，舞台裏でもコミュニケーションをとれることで，耳を傾けてもらえたり，態度が変わったりするものです。いつでも，その場のスピーチやプレゼンテーションが優れていれば，聞き手がついてくるわけではないということです。こうしたことは多かれ少なかれ，芸人ほどではないにしろ誰にでも必要だということです。

（2）芸人は自分の印象を気にする

皆さんは，芸人ほど「痛い」かどうかを問われることはないはずですが，発表がうまくいくかいかないかは，発表中ではない舞台裏の他者との何気ないコミュニケーションや，普段の他者とのかかわり方や，準備で決まることもありますが，普段の印象も大切なのです。だから芸人はいつでも自分の印象を気にし，できる限りよくなるように努めています。この話は前述したあいさつとも関連することです。

6 強さ，華

友人と同じ発言なのに周りの反応がよくない。バイト先の同僚が，自分と同じ意見を言ったら，場の雰囲気がよくなった。こうした経験は誰にでもあるのではないでしょうか。お笑い芸人でも同じです。たとえば，まったく同じボケをしたのに，A さんが言うとまったくウケない。にもかかわらず，B さんが言うと爆笑をさらった。

このような違いはなぜ生まれるのでしょうか。むろん，そこにはさまざまな理由があるのですが，ここでは「強さ」と「華」という側面から考えてみましょう。

（1）「強さ」とは

まずは「強さ」についてです。コミュニケーションでは，誰かに何かを伝える際に，「強さ」がとても大切になります。しかし，アカデミックな領域ではまだあまり注目されていないように見えます。

芸人も，おもしろければ必ず笑いがとれるわけではありません。ときには，おもしろくないけど，客席が笑うということもあります。ここに関係しているのが「強さ」です。

芸人には芸歴があり，基本的には先輩を立てるルールがあります。たとえば，「先輩が話し終わるまで待って，その後，自分が話す」や，「先輩と発話が同時なら，先輩が優先」などです。このルールは社会人にもあります。当たり前ですが，社長が話を始めれば，社員たちは皆，黙って聞きますし，途中で話を横取ったりしません。この社会的地位もコミュニケーションの「強さ」の一つです。皆さんも，相手の肩書きによってよく聞こうとしたり，慎重に回答したりすることがあると思うので，それらを想像するとわかりやすいはずです。

とはいえ，コミュニケーションの力関係のすべてが，社会的な地位の差で決まっているわけではありません。たとえば，高校生くらいまでは，学校ではスクールカーストがあって，クラスの中では，一般的にはスクールカースト上位の人の発言のほうが通りやすかったのではないでしょうか。また，何かと自分が優位に立って話を進めようとする，つまり，「マウントをとる」人もいたのではないでしょうか。ここには，明確で，誰もがわかる社会的な地位の差はありませんが，コミュニケーションには序列がみてとれます。もちろん，それが常に続くこともありますし，何かのきっかけでひっくり返ることもあります。

（2）話の差を出す「強さ」

スピーチもコミュニケーションなので，このような「力関係」や「強さ」が見え隠れすることがあります。同じような話し方なのに，あの人の評価は高いが，自分の評価は低い。同じ話なのに，あの人の話は皆にしっかりと聞いてもらえたが，自分の話は退屈そうにされたなどです。

コミュニケーションの研究では，こうした「強さ」に関する研究は，まだあまり進んでいないのが現状です。一部，カルチュラルスタディーズの領域で論じられていますが，もっと研究が進んでもいい領域だと思います。いずれにせよ私たちは無自覚になりがちですが，相手とのコミュニケーションには力関係が作用しているということです。

（3）「強さ」の考察

では，「強さ」とは何なのでしょう。私の経験をふまえ，芸人を例に考えてみると，その人そのものの人望，言葉の言い方や語尾，何かを伝えようとする際の熱意，同時に発話した際に譲らないような強気な性格，見た目，声の大きさ，目の力なども「強さ」の一つでした。また，どちらがマウントを先にとったかや，お互いの関係性などでも「強さ」は変わってきたと思います。芸人たちは，「強さ」の一部を「華(はな)」とも言っていました。「華」は，その人の存在感を意味していました。また，その人が話し始めたり，やって来ると，空気が変わる人のことを「華」があると表現していました。それは，微妙な身体の動きや顔の表情，見た目でもありました。

（4）自己分析できることは強み

口語表現の授業では，こうした「強さ」や「華」はそれほど必要ではないかもしれません。しかし，こうした側面についても自己分析したり，他者分析ができると，自分の強みにもなりえますし，実際に何かを伝えなければならないときにはとても役立つものです。無自覚なことだからこそ得ることが多いというわけです。

7 キャラ

芸人時代，キャラを見つけることが何よりも重要なことでした。キャラとは，キャラクターの略語で，マンガやアニメの登場人物を指す言葉でしたが，テレビで，お笑い芸人やタレントたちが自分らしさをわかりやすく伝えるものとしても用いられ，今ではそれが，若者や職場などでも使用されるようになりました。もちろん，キャラは，大学生の皆さんにとっても意識している，あるいは，意識せざるをえないものでしょう。自分のキャラがよくわからない人もいれば，友達にはキャラが濃い人がいると思う人もいるでしょう。最近では，自分の性格を明るいか暗いかを分けるために，陽キャ，陰キャという言葉も皆さんに定着しているはずです。それもキャラの一つでしょう。

私は芸人だったので，自分のキャラ探しにはとても苦労しました。「キャラを作れば売れる」という話は，先輩芸人や事務所の社員から何度も聞きました。自分なりに何かキャラを探したいと思っていましたが，それは簡単なことではありませんでした。私は早口なので，早口キャラ。ヒゲが濃いのでヒゲキャラなどを武器にしようとしましたが，いつでもそれが客席に伝わって，ウケるわけではありませんでした。

キャラがあれば，あるいは相手に定着すれば，瞬時に自分がどんな人かわかってもらえます。「なんでもない誰か」が話をするよりも，○○キャラというわかりやすさを兼ね備えた人が同じ話をしたほうが，親近感もわきますし，相手の記憶にも残るでしょう。また，キャラが話の何気ない部分におもしろさを与え，その人にしか話せない魅力あるものに変えてくれることもあります。

（1）自分だけの話し方で聞き手を惹きつけよう

話す技術に関しては，昨今では TED や YouTube など，ネット上に多くの見本があります。本屋でも，話し方やプレゼン技術に関する書籍や，マニュアルが多く並んでいます。ネットでも，検索すれば，話す技術に関するマニュアルを無数に手に入れることができてしまう時代です。また，会社に入ると上手にプレゼンをこなす人もいます。このような環境の中では，上手に話せることが当たり前，あるいは，前提になってしまい，それだけでは目立つこともありません。では何が重要になるのか。そこにキャラが生きてきます。つまり，どう話すかではなく「どんな人が話すか」が重要になってきているというわけです。

キャラを聞き手にうまく伝えることができれば，その話は他者に模倣することができない，自分にしか話すことができないものになります。そうした話にこそ，私たちは惹きつけられるのではないでしょうか。

（2）キャラを手に入れ伝える力をブラッシュアップ

コミュニケーション能力という言葉があらゆるメディアで取り上げられ，うまく話すことが重要な時代がしばらく続いてきましたが，これからは，必ずしもうまく話すのではなく，自分にしかできない話し方にこそ需要が出てくるはずです。すでに芸人の世界では，皆が話し上手である必要がなくなってきています。口下手であっても，何かを伝えるのに長けている人が出てきていますし，口下手を武器に話をする人さえ出てきています。それを周りがどのように受け止めるのかが課題です。さらに，話下手な人を聞き手がおもしろくしていくというコミュニケーションも，今後，日常や仕事の場でも必要になってくることでしょう。

つまり，相手の話をどのように聞いていくのかが重要だというわけです。話下手の人は，口語表現で，たくさんのスピーチを聞く中で，どう楽しく聞くことができるか，他者の３分のスピーチの中にどんな魅力を見出すことができるか，このような視点を意識して学んだり，磨いてみてはどうでしょう。

（3）キャラの手に入れ方

キャラ探しについて何かアドバイスをするのであれば，自分の好きなことがキャラのヒントになることが多いです。また，親しい誰かに聞いてみることも自分のキャラを探すうえでは役立ちます。

自分のキャラがある程度わかってくると，何気ないエピソードにキャラが乗ってきます。そのエピソードで，自分らしさぜひを伝えてみてください。

8 おわりに

お笑い芸人の「しゃべり論」と題し，六つの項目から論じてみました。お笑い芸人たちの話す技術論の話かと思い本章を読み進めた皆さんからすると，ひょうしぬけした気分になった人もいるのではないでしょうか。しかし，当たり前は，芸人にとってとにかく大切なことでした。また，当たり前のことであっても，習慣化し，自分のものにするのは簡単なことではありませんでした。

この当たり前なことができて，芸人たちはようやく次のステップに進めます。次のステップといっても，ここで紹介した通り，他者の観察，模倣，そして，反省や自己分析をひたすら繰り返し，笑わせる力や話芸を磨いていきます。

本章では，どの節でも，口語表現の授業との関係や，皆さんの就職活動や仕事との関係を指摘してみました。ただ読むだけで終わるのではなく，日常生活の中で意識をしてみることや，実践してみることがとても重要です。それがないと，本章は机上の空論にすぎません。話す力を向上させるために，読み終わったらすぐに実践してみましょう。自分ができそうなことからでかまいません。

そして，必ずしもうまい話し方に向かっていくのではなく，自分らしく話すことも意識してみましょう。同時に，自分の話し方の特徴を理解したり，クラスの中でそれぞれの人の話の魅力やおもしろさを見出すような聞くスキルやリテラシーも身につけられることが望ましいです。そうした力こそ，今後，皆さんが社会に出たときに役立つはずです。

口語表現は，話す技術を向上させることが目的の授業です。しかしその周辺には，ここで述べてきたように，私たちが普段，あまり意識していないコミュニケーションがいろいろとあります。そんな部分に焦点を当ててみることも，自分のコミュニケーションを伸ばすことにつながります。どんなふうに口語表現の授業を自分の日常や将来に結びつけるか，その奥行きがとても広い授業なので，自分なりに何を学ぶか目標をもって履修してください。

2章 柔軟な発想力のために(1)
――リフレイミング

鈴木有香

1 ネガティブな発想，ポジティブな発想

早速ですが，次の質問にあなたはどう答えますか。

問「コップに水がどのくらいありますか。」

① 半分あります。
② 半分もあります。
③ 半分しかありません。

中立的に事実ベースで表現するなら「①半分あります。」ですが，②は「水がある」ことに注目した表現であり，③は「水がない」ことに注目しています。

ある靴の製造会社が国際的な展開を考え，アフリカのある国を視察しました。そのとき，靴を履いている現地の人々はほとんどいませんでした。社員Aは「誰も靴を履いていないから，この国では商売になりませんよ。」と考え，社員Bは「誰も靴を履いていないから，この国では靴が売れますよ。」と考えました。あなたはどちらの意見に近いでしょうか。また，ビジネスチャンスをつかむのはどちらだと思いますか。困難な状況に直面すると，「無理だ」と思ってしまう思考パターンに陥りがちですが，それをラッキーチャンスと捉え，「どうなるか？」というように発想を切り替えていくことをリフレイミングといいます。私たちは，自分の不得意なこと，苦手なことについてはつい，ネガティブに考えがちですが，「ひょっとしたら……」とポジティブに発想を切り替えることもできます。

2 ピンチはチャンス

『まいにち，修造！』という日めくりカレンダーには，元プロテニス選手で解説者の松岡修造さんが，選手生活や人生の中で自分が得た教訓が書かれています。彼は「崖っぷち，だーい好き」と表現していますが，その心は「大ピンチの時ほど，人は真剣になり大きな力を発揮するから」と説明しています。

こんなふうに，ちょっと発想を変えてみることで，ユニークなスピーチやプレゼンテーションのアイデアが生まれ，新しい行動を提案できるきっかけになります。少し練習問題をしながら，自分の発想を広げていきましょう。

トレーニング・・・1 「崖っぷち，だーい好き」その心は！

（1）に一般に人が嫌いなこと，苦手なこと，好ましくないことを書き，（2）で理由を書いてみましょう。

（1）＿＿＿＿＿＿＿＿，だーい好き！　なぜなら，（2）＿＿＿＿＿＿＿＿。

例 寒中水泳，だーい好き！　なぜなら，私がサバイバル能力があることを証明できるから。

① 待ち合わせに遅れる人，だーい好き！　なぜなら，（2）＿＿＿＿＿＿＿＿。

② 試験＿＿＿＿＿＿＿＿，だーい好き！　なぜなら，（2）＿＿＿＿＿＿＿＿。

③ （1）＿＿＿＿＿＿＿＿，だーい好き！　なぜなら，（2）＿＿＿＿＿＿＿＿。

3 不安になったら「ひょっとしたら……」の発想で

スマートフォンが普及して，メールやチャットのやり取りが増え，人が向き合って話す時間がどんどん減っているせいか，「人に自分の意見を言うのが怖くて，話せない」という人が増えてきました。理由を聞くと，「もし，相手と違う意見を言ったら嫌われてしまうから。」というのです。私は「あなたは人が１回でも自分と違う意見を言ったら，その人を嫌いになりますか。」と尋ねると，ほとんどの人

が「いいえ」と答えます。「あなたは相手の心が読める超能力者ですか。」と聞くと，やはり「いいえ」と答えます。結局のところ，相手の心はわからないのに，「嫌われたら，どうしよう……」，「反対されたら，どうしよう……」，「批判されたら……」，「相手のほうが詳しかったら……」と自分で不安の種を作っているだけなのです。そんなときは，「ひょっとしたら……」という可能性に注目して，自分の心のバランスをとりましょう。

トレーニング・・・2 「ひょっとしたら……」の発想

例のように，「ひょっとしたら……」に続く文をたくさん書いてみましょう。

例 私が意見を言っても，嫌われる ／ 批判される とは限らない。
ひょっとしたら，相手は私に興味をもつかもしれない。

① ひょっとしたら，＿＿＿＿＿＿＿＿＿＿＿＿＿＿＿＿＿＿＿＿。

② ひょっとしたら，＿＿＿＿＿＿＿＿＿＿＿＿＿＿＿＿＿＿＿＿。

③ ひょっとしたら，＿＿＿＿＿＿＿＿＿＿＿＿＿＿＿＿＿＿＿＿。

4 長所と短所は紙一重

私は人見知りで，相手にすぐ声をかけられないことを悩んでいたところ，友人が「相手をよく観察して，相手のために言葉を探そうとしている人だね」という言葉をかけてくれました。自分が欠点だと思うことも，見方を変えれば長所でもあります。同じことをしていても，ネガティブに捉えると否定的な単語を使いがちですが，ポジティブに捉えると肯定的な単語を人は使います。これもリフレイミングの一つです。実際，人の長所や短所は絶対的なことではなく，捉え方の違いともいえます。

トレーニング・・・3 短所と長所は紙一重

例のように，肯定的な単語を書いてみましょう。

例 気が短い人 ｜ スピーディな判断力がある人，即断即決ができる人

① 常識のない人	ユニークな人，新しいアイデアを提供する人
② 暗い人	落ち着いた人，物静かな人
③ 頑固な人	
④ 嘘つき	
⑤ 話下手	
⑥ 気が強い	
⑦ 飽きっぽい	
⑧ ぶれやすい	
⑨ 空気が読めない	
⑩ 金遣いが荒い	

5 状況が変われば，価値も変わる

ウニを食べる習慣のない国の海岸では，ウニは放置されたままです。しかし，そのウニを日本に持っていくと，高級食材として売れます。ここだけの話，私は子どもの頃から「ブタ」というようなあだ名をつけられるような太目な体型をしていました。大学生になっても男性から声をかけられたことがなく，「どうせ，私はモテないし……。」とあきらめていました。ところが，アメリカ人の家庭にホームステイしたとき，彼らに「あなたはやせっぽちよ！」と言われたのです。確かに，その家庭のお父さんもお母さんも子どもも全員が100 kg は超える体重なので，彼らから見れば私は「やせっぽち」なのです。つまり，私やウニは変わらないのですが，環境や状況が変われば価値が変わるのです。これを「状況のリフレイミング」といいます。

トレーニング・・・4 状況のリフレイミング

例のように，その人の欠点が役立つような状況や場面を考えましょう。

例 A：彼女は神経質で細かすぎて，周囲の雰囲気を暗くさせるばかりなんですよ。
B：ミスの許されない書類のチェックなどのときは役立ちますね。

① A：あの人は大声で，電車の中で話していると周りの人に迷惑で……。

B：＿＿＿＿＿＿＿＿＿＿＿＿＿＿＿＿＿＿＿＿＿＿のときは役立ちますね。

② A：彼は全然掃除をしません。部屋はゴミだらけで足の踏み場もありません。

B：＿＿＿＿＿＿＿＿＿＿＿＿＿＿＿＿＿＿＿＿

だんだん慣れてきたところで，ちょっと友達とペアになって，ゲームをしてみましょう。とにかく，思いつきをバンバン言い合って，いろいろな発想を出してみましょう。コツは楽しく嘘を言い合うことです。

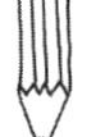

トレーニング•••5 『Yes and Yeah!』

A役とB役を決めて，例のような会話を作ってみましょう。

例	ポイント
A：Bさんは，子どものときから身長が3メートルもあるんですね。	ありえない決めつけを言う。
B：ええ，だから，迷子になったことがないんです。とても幸せな子どもでした。	受け止めて，さらにネタを追加する。
AとB：（声を合わせて，いっしょに）イェイ！（そして，役割を交代する）	二人でポーズをとる！（そして，役割を交代する）

上記のような感じで，交代して何回もやり続けてみましょう！　いろいろ不思議なアイデアが出てきます。正解はありません。とにかく，たくさんやり続けることが大切です。

6 発想を広げる質問

いかがでしょうか。違う角度からモノを見てみると，いろいろな発想やアイデアが生まれてきますね。私たちが事実と信じているものは，実際のところ自分自身の思い込みであることが多いのが現実です。もちろん，自分が思い込みをもっているように，相手もただ思い込んでいるだけかもしれません。そんなときは，「質問」することで相手のモノの見方をずらし，より広い視点から世界を眺めるお手伝いができます。

たとえば，急に部署異動させられた隼人と真琴の会話を見てみましょう。

隼人：今日，課長から部署を異動するように言われたよ。ああ，最低最悪！　詰んだわ。
真琴：誰と比べて，最悪なの？【比較の基準を変える】
隼人：え？　うーん，俺より最悪な奴けっこういるかも。
真琴：それに，世界中で一番不幸なのは隼人なのかな？【空間を広げる】
隼人：世界はわからないけど，俺ではないな。
真琴：2年間その部署にいたら，何が身につくと思いますか。【時間軸を広げる】
隼人：営業だからプレゼン能力とかのコミュニケーションスキルかな？
真琴：経営陣の立場から見ると，今回の異動の意味は何でしょうか。【視点を変える】
隼人：AIの導入による業務の見直しかな。

真琴は隼人にさまざまな角度からの質問をして，隼人の思考の枠組みを広げていることがわかりますね。一つの事実を多角的に考えることで，隼人は自分が最低最悪な状況ではないことを徐々に理解していきます。

もし，自分が最悪な気分になったときは，下の質問リストを参考に自分自身の答えを書き出してみましょう。また，悩んでいる人がいたら，以下のような質問をして，視点を広げてあげましょう。

① 何（誰）と比べて，……でしょうか。【比較の基準を変える】
② 世界中で（日本中で，この会社の中で），一番……なのでしょうか。【空間を広げる】
③ ……年間……したら，何ができると思いますか。【時間軸を広げる】
④ （相手，両親，客，担当者など）の立場から見ると，今回の……の意味は何でしょうか。【視点を変える】
⑤ それが，大変だ（辛いなど）と思い続けたら，どんなことが起こると思いますか。【結末に注目する】
⑥ それが，簡単（ラッキー）なことだと思ったらどうなりますか。【肯定的な結果に注目する】

松岡修造氏は『「できる，できない」を決めるのは自分だ。』と言い，シェイクスピアは「良いも悪いも本人の考え次第」と言っています。事実や正解を一つとは決めつけずに，リフレイミングを応用して，発想を柔軟にしていきましょう。それがあなたのコミュニケーション行動や交渉能力を向上させる重要な能力になります。

＜参考文献＞
松岡修造(2014)『日めくり　まいにち，修造！』
シェイクスピア　「ハムレット」第二幕二場，小田島雄志訳より

3章 個性的なスピーチをするために
──自己紹介

片山奈緒美

1 自己紹介のスピーチに大切なこと

私たちはさまざまな場面で自己紹介のスピーチをします。どんなに引っ込み思案な人でも，どんなに人前で話すのが苦手でも，学校やサークル，職場など，あらゆる場面で自己紹介のスピーチをするでしょう。

あなたは自己紹介のスピーチが得意ですか？　それとも苦手ですか？　どちらであっても，たぶん自己紹介のスピーチで失敗したくはないはずです。では，スピーチで失敗しないために，そしてできることなら成功するために大切なことは何でしょうか。

・大きな声でよどみなく話す。
・アイコンタクトをとる。
・ジェスチャーを使う。
・おもしろいことを言ってみんなを笑わせる。
・すばらしい話をして聴いている人を感動させる。

どれも自己紹介スピーチを成功させるには有効でしょう。でも，ちょっと待ってください。もっと重要なことがあることを忘れていませんか。そう，自己紹介のスピーチで一番大切なのは，聴衆に自分を印象づけることです。

自己紹介のスピーチの意味を考えてください。初めて会った人や，今まであまり話をしたことがない人たちが集まったとき，お互いを知るために，あるいはお互いが仲良くなるきっかけを作るために自己紹介のスピーチをしますね。つまり，自己紹介のスピーチで自分という人間を知ってもらうこと，そして自分を相手に覚えてもらうことが必要になります。ですから，せっかく自分について知ってもらうために話すのに，すぐに内容を忘れられてしまうスピーチではもったいないですね。

ただし，なにも珍しい体験やおもしろいことを話さなければならないわけではありません。次に相手と会ったとき，「あ，自己紹介スピーチで××の話をしていた人だ」と覚えてもらっていたら，それだけで自己紹介のスピーチとしては成功したといえます。

2 どちらが印象に残る?

次の二つのスピーチ例を読んでみてください。スピーカーは大学に入学したばかりの1年生です。映画製作サークルに入部し，サークルの初めてのミーティングで自分と同じ新入生や上級生の前で自己紹介のスピーチをしました。どちらのスピーチが印象に残るでしょうか。どちらも同じように大きな声ではきはきと話していると思ってください。

(a)

はじめまして。私は山田花子といいます。

出身は北海道旭川市で，高校のときは放送部でした。2年生のとき，全国の放送部の大会で3位になった強い部でした。

趣味は映画を観ることです。家族は父と母と妹です。犬もいます。みんなで楽しく映画を作りたいです。よろしくお願いします。

(b)

はじめまして。山田花子といいます。出身は北海道旭川市です。

みなさん，旭川をご存じですか？（聴衆の一部が「動物園！」と言う）はい，そうです。あの有名な旭山動物園があるところです。旭山動物園は動物がどんなふうに生活しているのかがわかりやすい展示をしていて，とてもおもしろいです。まだ行ったことのない方は，ぜひ夏休みに旭川に行ってみてください。

高校のときは放送部でした。毎年，全国高校の放送部の大会で上位に入る強い部で，私が2年生のときはラジオドラマ部門で3位になりました。初めてのデートで旭山動物園に行った高校生の男女の一日をドラマにしました。この経験がきっかけとなり，大学では好きな映画を作るサークルに入りたいと思いました。

家族は父と母と妹です。犬もいます。忠犬ハチ公の映画で有名になった秋田犬です。私は犬が大好きで，犬が重要な役割を果たす映画を作ってみたいです。よろしくお願いします。

いかがでしょうか。(a) は短くて簡潔にまとまっています。(b) は (a) と同じ内容を話していますが，より長くて詳しいですね。暗記するなら，短い (a) のほうが簡単そうです。だから，たいていの人は (a) のような自己紹介スピーチをしがちです。

でも，あなたがこの二つの自己紹介を聴いたときのことを想像してください。(a) のような自己紹介をする1年生が何人かいたとしたら，(b) のような自己紹介のほうがあとあとまで内容を覚えているのではないでしょうか。なぜなら，(b) には聴衆の記憶に残るスピーチの秘密が隠されているからです。

次に，なぜ（b）のほうが記憶に残るのかを考えてみましょう。

3 記憶に残るストーリー

まず，（a）のスピーチのキーワードを拾ってみます。

・山田花子
・北海道旭川市出身
・高校では放送部，全国大会で３位
・趣味は映画を観ること
・家族は父，母，妹，犬

とてもシンプルな構成ですね。名前と出身地，高校の部活，趣味，家族。自己紹介で誰もが言いそうなことがすべて入っています。これらのキーワードについて，（b）ではどんなふうに語られているでしょうか。太字にしたキーワードに注意して，もう一度読んでみてください。

(b)

はじめまして。**山田花子**といいます。**出身は北海道旭川市**です。
①みなさん，旭川をご存じですか？（聴衆の一部が「動物園！」と言う）②はい，そうです。あの有名な旭山動物園があるところです。旭山動物園は動物がどんなふうに生活しているのかがわかりやすい展示をしていて，とてもおもしろいです。まだ行ったことのない方は，ぜひ夏休みに旭川に行ってみてください。
高校のときは放送部でした。毎年，**全国高校の放送部の大会**で上位に入る強い部で，私が③２年生のときはラジオドラマ部門で**３位**になりました。初めてのデートで旭山動物園に行った④高校生の男女の一日をドラマにしました。⑤この経験がきっかけとなり，大学では**好きな映画**を作るサークルに入りたいと思いました。
家族は父と母と妹です。犬もいます。⑥忠犬ハチ公の映画で有名になった秋田犬です。私は犬が大好きで，⑦犬が重要な役割を果たす映画を作ってみたいです。よろしくお願いします。

詳しく見ていきましょう。
（b）のスピーチは（a）のスピーチのキーワードのほかに，聴衆の注意を引きつける工夫が見られます。まず，①で聴衆に質問をして，スピーカーに注意を引きつけています。そして，②で有名な動物園の名前をあげることで，北海道の旭川市出身であることを印象づけています。聴衆への呼びかけは印象深いスピーチにするためのテクニックの一つです。

次に，(b) のスピーチの内容面を見てみましょう。

(b) では自己紹介をしている場所（大学の映画製作サークルのミーティング）に関係のある話をしています。全国大会に出場するような強い放送部で，③ラジオドラマを作って全国3位になった経験と，⑤それがきっかけで映画製作サークルに入りたいと思った動機を述べています。さらに，④ラジオドラマの内容にも軽く触れていて，スピーカーが高校時代にやってきたことがより明確に語られています。

最後の家族紹介のパートでは，犬を飼っている話から⑥忠犬ハチ公を出して，ここでも映画と関連づけた話をして，⑦これからサークルで作ってみたい映画についてアピールしています。

ここで重要なのは，(b) のスピーチはキーワードを説明したり，キーワードとキーワードを関連づけるエピソードを語っていることです。そのため自己紹介スピーチに短いお話のようなストーリー性が生まれています。

あなたが歴史の教科書で「1192年」という数字を見ても，1時間後にはもう忘れているかもしれません。でも「いい国（1192）つくれ源頼朝」というように，1192年に起こった出来事と関連づけて語呂合わせで覚えると，それは短いストーリーとなって記憶に残ります。記憶に残る，印象に残るスピーチの原理はそれと似ています。

4 個性的な自己紹介？

では，聴衆の印象に残るスピーチにするには，自分の何についてどのように話せばいいのでしょうか。多くの人は，自己紹介スピーチで何を話したらいいかわからなくて，とにかくキーワードだけを並べる (a) のようなスピーチをしがちです。でも，(b) のようにキーワードをつなげたストーリー性のあるスピーチをすると，そのストーリーがスピーカーの性格や人間性，関心の方向性などを示すことがあります。

(b) を例にもう少し考えてみましょう。(b) のスピーカーは，「犬が重要な役割を果たす映画」を作りたいと考えるほど犬が好きな自分を聴衆に印象づけることに成功しています。映画と犬が好きな (b) のスピーカーならではの個性がそこに表れていますね。これは，「趣味は映画を観ることです。犬が好きです」と言っただけでは伝わらないスピーカーの特徴，個性の一つだといえるでしょう。

スピーチやプレゼンテーションのハウツー本を読むと，よく「個性的な発表をしよう」とか「自分らしさを表現しよう」というアドバイスが書かれています。確かに個性的で他の人とは違う話ができれば，聴衆の印象に残るスピーチになりそうです。しかし，(b) のスピーチのように，スピーカーの個性は特別なものである必要はありません。その場にいる聴衆に自分のどんなところを紹介したいのか，何を伝えたいのかがはっきりしていれば，内容は何でもいいのです。

もう一度（b）のスピーチを見てみましょう。(b）では，スピーチをする場面が大学の映画製作サークルであること，自分が新入生であることを意識したスピーチになっています。「放送部でのラジオドラマでの成功 → 好きな映画を作ってみたい → 犬が重要な役割を果たす作品を作りたい」と，自分の経験と映画製作サークルをリンクさせたスピーチです。ここには映画製作サークルへの入部動機のほかに，入部後の目標も含まれています。入部したときにこれだけ話せたら，たぶんすぐに先輩達に名前と顔を覚えてもらえるでしょう。自分のことを「覚えてもらえる」，これこそ自己紹介スピーチの重要な役割です。

けれども，いざ他人に覚えてもらえるような個性的なスピーチをしようと思っても，そもそも自分の個性が何なのかがわからない人もいるでしょう。何が自分らしいのかも，わかりにくいものです。〈個性〉とは何でしょう？ 〈自分らしさ〉とはいったい何でしょう？

次に，〈自分らしさ〉や〈個性〉を表現して印象的な自己紹介スピーチをするために，まずは自己を客観的に観察するペアワークをやってみます。

(1) 自己観察のペアワーク

まず，二人一組になってください。章末のワークシートAを使って，お互いに1分間で自己紹介をします。その後に質問し合い，ワークシートAの空欄を埋めていきましょう。

こんな場面を想像してください。あなたは大学に入学し，部活かサークルに入部します。自分の好きな部活かサークルを選んでください。新入部員が初めて参加するミーティングで，新入生は順番に自己紹介をすることになりました。さあ，あなたはどんな自己紹介をするでしょうか。

1. まず，二人それぞれがワークシートAの①に自己紹介で話す内容をメモします。出身地や所属しているサークル，自分の性格や長所・短所，記憶に残っている過去の経験など，内容は何でもかまいません。1分間で話すことを書き込んでいきます。
2. 一人がスピーカー，もう一人が聞き手になり，交代で1分間の自己紹介をします。このとき，1分間で内容はどのくらいかも考えながら話してみてください。テレビでアナウンサーがニュース原稿を読む速度は，標準的なスピードで1分間に400字程度といわれています。つまり，①に書いたメモをつなげたときに400字を超えそうだったら，少し早口なスピーチになるでしょう。
3. 1分経ったら，スピーチをやめます。もっと話したかったのに話せなかった内容があったら，スピーカーは内容を整理する必要があります。自己紹介で話さなかった自分の特徴や性格，経験などについては，ワークシートAの③に書き入れておきましょう。
4. スピーカーは自己紹介から感じた自分の印象を聞き手に尋ね，ワークシートAの②を埋めます。

5．②を埋めたところで，今まで気づいていなかった自分や，あまり意識していなかった自分に気づいたら④に書き込みます。

6．スピーカーと聞き手を交代して，同じことを繰り返します。

(2) スピーチ準備と実践

いよいよ個性的な自己紹介スピーチをするための準備をします。

まず，ワークシートAに書き込んだことを分析し，“相手にいちばん伝えたい自分”をイメージしましょう。そのとき，次のようなことを意識することが大切です。

・部員に伝えたい自分はどんな自分ですか？
・自分をどんなふうに印象づけたいですか？
・あなたのサークルではどんな活動をしますか？
・あなたのサークルの活動と，あなたの経験や関心事は何か共通点がありますか？
・サークルの活動とあなたの経験の共通点を説明する話はありますか？
・部員はどんな話に興味をもつと思いますか？

ワークシートAに書き込んだことを参考にして，サークルのメンバーに伝えたい自分を思い描いてください。次に，ワークシートBを使って，話したい内容を整理していきましょう。「相手に伝えたい自分」と「それを説明できるエピソード」を書いてください。

(b) のスピーチで述べられていたように，相手に伝えたいことがあるときは，それを説明できるエピソードがあると効果的です。「犬が出てくる映画を作りたい」（相手に伝えたい自分）というよりも，自分が秋田犬を飼っているエピソードを紹介し，「自分は忠犬ハチ公で有名な秋田犬を飼っている。犬が重要な役割を果たす映画を作りたい」（相手に伝えたい自分とエピソード）のほうが，自分がやりたいことを具体的に話せています。さらに忠犬ハチ公という誰でも知っている犬を出すことで，スピーチの内容を聴衆にうまく印象づけています。

そのほか，自分自身が今まで気づいていなかった自分について話したいときは，ワークシートAの④の内容も盛り込んでみましょう。

伝えたい自分とそれを説明するエピソードが決まったら，1分間の自己紹介スピーチを構成します。伝えたい自分がはっきり決まっているほど，自分らしさが出た個性的なスピーチをすることができます。

ワークシートA

①自己紹介の内容	②聞き手の印象
③自己紹介で言わなかった自分	④はじめて気づいた自分

ワークシート B

相手に伝えたい自分は?	それを説明できるエピソードは?

4章 スピーチは短文で！

山田（深沢）彩子

1 なぜ「短文」のほうがよいのか

スピーチには，伝えるべきテーマがあります。そのテーマを過不足なく聞き手に伝えなければなりません。公的な場でのスピーチは，親しい相手と会話そのものを楽しむ雑談とはまったく別なものと心得ましょう。話すこと自体が目的の場合もある雑談とは違い，スピーチで取り上げるテーマには必然性があるのです。

スピーチの聞き手は一人ではありません。ですから，スピーチの聞き手の理解度や関心度は，多くの場合一定ではありません。さまざまな聞き手に理解してもらえるスピーチをするには工夫が必要です。「スピーチは短文で！」，これも工夫の一つです。

一つの文に，あれもこれもとたくさんの内容を盛り込むと，一文が長くなります。文が長くなると，何が大切な事柄なのかがわかりにくくなります。すると聞き手の混乱を招くことになりがちです。一つ一つの文が短いほうが，聞き手の理解を得やすくなるのです。

自己紹介を例に，長文と短文，それぞれで構成した場合を比べてみましょう。まず，一文が長い例です。

スピーチ A（良くない例）

「○○（名前）と申しますが，××県で生まれて，高校に入るときに△△県に引っ越してきたんですけど，中学・高校と＊＊部で活動して，高校生のときにはインターハイに出場したんですけど……，」

次は，一文が短い例です。

スピーチ B（良い例）

「○○（名前）と申します。××県で生まれました。高校に入るときに△△県に引っ越してきました。中学・高校と＊＊部で活動しました。高校生のときにはインターハイに出場しました。」

どちらがわかりやすいでしょうか。ほとんどの人が，短文で構成したBのほうがわかりやすいと答えることでしょう。

短文の場合は，文と文の間に，聞き手がうなずく「間」ができます。そしてその「間」のところで，聞き手はうなずいたり考えたりして，反応することができます。〈スピーチB（良い例）〉に対する，聞き手の反応の一例をあげてみます。丸括弧の中が，聞き手の反応です。

話し手「○○と申します。」
聞き手（○○さんという名前なんだ。今度話しかけてみようかな。）
話し手「××県で生まれました。」
聞き手（××県には，私はまだ行ったことがないなあ……）
話し手「高校に入るときに△△県に引っ越してきました。」
聞き手（あ，そこには行ったことがある！）
話し手「中学・高校と＊＊部で活動しました。」
聞き手（レギュラーの選手だったのかな？）
話し手「高校生のときにはインターハイに出場しました。」
聞き手は（わあ，すごい！）

丸括弧内に書いたように，聞き手は声には出さなくても，心の中で話し手と対話しているのです。このように心の中で対話した結果，一つ一つの内容が聞き手の中に残ります。

反対に長文で構成した〈スピーチA（良くない例）〉は，新しい事柄が一文の中に切れ目なく出てきます。ですから聞き手は，次にはもっと重要な話題が出てくるのではないかと思い，どれが大切なことなのかを判断しにくくなります。そして結局，どの内容も印象に残らないということになりがちです。

2 練習方法

短文で話すことに慣れていないと，〈スピーチB（良い例）〉のようにはなかなか話せません。そこで，短文でスピーチを構成するための練習をしてみましょう。

二人一組になり，向かい合います。一人が話し手，もう一人は聞き手になります。話し手は，できるだけ短い文で，聞き手に向かってスピーチをします。聞き手は，話の内容に対し，声に出して反応してみましょう。たとえばこんな具合です。

話し手「こんにちは。」
聞き手「こんにちは。」
話し手「昨日，私はテーマパークに行きました。」
聞き手「いいなあ！」
話し手「ところが連休だったせいか，大変混雑していました。」

聞き手「そうでしょうねえ……」

このように聞き手は，話の流れを止めないように気をつけながら，短い言葉で反応します。普段は無言で聞いているスピーチに，声を出して参加してみるわけです。

一方話し手は，聞き手の反応を引き出すことを意識します。話し手は，聞き手の反応と対話する気持ちで，次の言葉を出していきます。せっかちな人は，聞き手が「こんにちは。」と反応する前に，次の言葉を出したくなるかもしれません。しかし「間」をとって，聞き手の反応を待つようにしましょう。

次に役割を交替します。最初に話した人が聞き手になり，最初に聞いた人は話し手になります。そして同じように，聞き手は声に出してスピーチに反応します。このようにして話し手と聞き手の両方を体験することで，話し手と聞き手との「間合い」や「呼吸」がわかってくることでしょう。「間合い」や「呼吸」を有効に活かすためには，スピーチを短文で構成したほうがよいということも，練習から実感できるでしょう。

短い文なら，聞き手はどんどんスピーチに参加できます。その結果，聞き手の理解度や関心度が高まります。

3 「短文」で話すことの利点

短文でスピーチを構成することの利点はほかにもあります。短文で話すと，いわゆる「語尾上げ」「語尾のばし」が少なくなります。スピーチのときに，語尾が上がったりのびたりすることを指摘される人は多いものですが，そういう人はたいていの場合，スピーチを長文で構成しています。

スピーチA（良くない例）のように，「～が，～て，～ですけど，～して～ですけど……，」と文をむやみにつなげていくと，多くの場合，下線部分で音が上がったりのびたりします。「～がぁ，～てぇ，～ですけどぉ，～してぇ～ですけどぉ……，」などという具合です。スピーチを短文で構成すれば，このようなことにはなりません。

また短文形式は，先に結論を示す必要があるときにも適した形です。短文なら，たとえば意見を言う場合，「私は○○と考えます。理由は～」と，端的に結論を示すことができます。このような話し方は，社会に出ると特に必要とされます。

実は私自身にも，社会人になって間もない頃，長文で話して失敗してしまった経験があります。仕事の相手先の方から夕食の招待を受けた翌朝，私は上司にこんな報告をしました。「○○駅の近くに××という店がありまして，その店で△△時頃＊＊さんとお目にかかったのですが……。」すると上司は「もっと端的に，手短かに答えろ」と，苛立った様子で私に言いました。

上司が私に一番聞きたかったのは，その会がどんな様子だったのか，仕事はうまくいったのか，ということのはずです。それなのに私は，時間を追って自分の体験した順に話し始めてしまったのです。しかも私の話が長文だったため，上司は途中で質問をはさむ「間」も与えられずに，新入社員のお喋りに付き合わされる形になりました。上司の苛立ちも，もっともです。

4 まとめ

「スピーチは短文で！」という理由を，いくつかの例と共にあげてきました。これまでに述べたことをまとめてみます。

① スピーチは短文で構成したほうがよい。

② 短文形式のスピーチには，聞き手の反応を呼び起こす「間」ができる。

③「間」のところで聞き手が反応した結果，スピーチへの理解度・関心度が高まる。

④ 短文形式に慣れるための練習をする。聞き手は文の切れ目で，声に出して反応する。

⑤ 公の場・ビジネスの場など，社会では特に短文で話すことが必要とされている。

日常会話で文が長くなる傾向の人は，とても多いようです。話の展開を決めないまま話し始めると，文はどうしても長くなります。普段の話し方の癖はスピーチに出ます。ですから，できれば日常でも短文で話すことを心がけましょう。

話すべきことが過不足なく表現できるよう，言葉と文をよく整理し，準備してから，スピーチに臨みましょう。

COLUMN

わかりやすく話すために

大輪香菊

自分の体験（見た・聞いた・やってみたこと）を相手と共有するにはどうしたらよいのでしょうか。

❶ 目的地への地図を説明する

「まっすぐ行って，角を右に曲がって，しばらく行くと家です。」

こんな説明を聞いて，あなたならどんな地図を描くでしょうか。

昔は今のように便利なインターネットやスマホの地図アプリなどなかったので，電話で教えてもらった地図を片手に初めての土地を訪ねることもしばしばでした。そのとき，教えてもらった通りに書いたはずの地図が正しく描けていないために，道に迷うこともよくありました。携帯電話もないのですぐに確認できず，本当に大変でした。では，どうして正確に伝わらないのでしょうか。

「まっすぐ行って」「しばらく行くと」と聞いて，あなたは何メートルくらい行けばいいと思いましたか？　10 mでしょうか，それとも100 mでしょうか。あるいは何分くらい歩くのかと考えた人の中には，1～2分の人もいれば10分くらいを想像した人もいるかもしれません。そのイメージは個々で違ってしまうのです。また「角を右に曲がって」と言われたら，聞いている人は「かど」は一つしかないと思うかもしれません。ところが，実際には大小の交差点があり，どの角なのかわからなくなってしまったりします。角の目印になるものを教えてあげたら間違いを防げるでしょう。このように，誰が聞いても変わることのない，客観的な情報（数字・方角・目印など）を伝えれば間違いないでしょう。

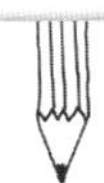

トレーニング・・・1

最寄り駅やバス停からあなたの家までの地図を説明してみましょう。

❷ 相手が見たことのない絵や写真を説明する

口語表現の授業で，自分が見た絵や写真を相手に説明するというワークを行っています。「海がバーッと広がってて」「棒の上におじいさんが座ってるんだよね」こんな説明を聞きながら聴き手は絵を描いてみます。すると聴いた通りに書いたつもりでも，実物を見てみると「え〜，全然違う！」という声がしてきます。なぜでしょうか。

まず，全体のイメージが伝わらないとまったく違うものを想像してしまうということがあるでしょう。メインは何でしょうか。海？　それともおじいさん？　これがわかるだけでもずいぶん違います。「海がバーッと広がってて」と言われても，海と陸の割合は？　奥に何か見えるの？　遠近感は？　などがわかりません。「棒の上におじいさん」では，どんな棒なの？　おじいさんの服装は？　どっちを向いてるの？　など，細かい説明を加えていくとわかりやすくなります。

私は目の不自由な人のために紙面を音訳する仕事をしています。写真やキャラクターなどの説明にはどうやったら伝わるかといつも悩みます。たとえば，「体育館のステージに中学生が並んで歌を歌っています。小学生は床に座って聴いています。」「イベントでにぎわっている会場を離れた場所から撮っています。」など短い言葉でわかりやすく説明する工夫をしています。

友達同士で話していると，細かい説明をしなくても阿吽（あうん）の呼吸で伝わってしまうことが多いでしょう。でも，たとえば祖父母世代の人と話すときなど，同じように話しても伝わらないことがあります。先日，自己紹介で「私は○○すみです。」と言った学生がいました。一瞬何のことかわからなかったのですが，○○が地名だったので何とか想像できました。「私は○○にす（住）んでいます」という意味でした。学生同士なら理解できる略語ですが，私にはわかりませんでした。相手に伝わるようにするには「共通」の言い換えができるとよいですね。

現在，日本には大勢の外国人が住んでおり，大学の留学生も年々増えています。外国人と話すなら英語だと思いがちですが，英語がわからない人も多いのが現状です。日本の文化に興味をもち，日本語を習ったことのある人もいますが，その日本語力はさまざまです。そこで昨今は「やさしいにほんご」に関心が寄せられています。一文を短く，言葉はなるべく簡単にするのです。このときも言い換えの技術が使えます。

わかりやすく話すには“相手の立場にたって話してみる”という気持ちが大切ですね。

トレーニング・・・2

相手が見たこともないマーク，絵，写真を説明してみましょう。

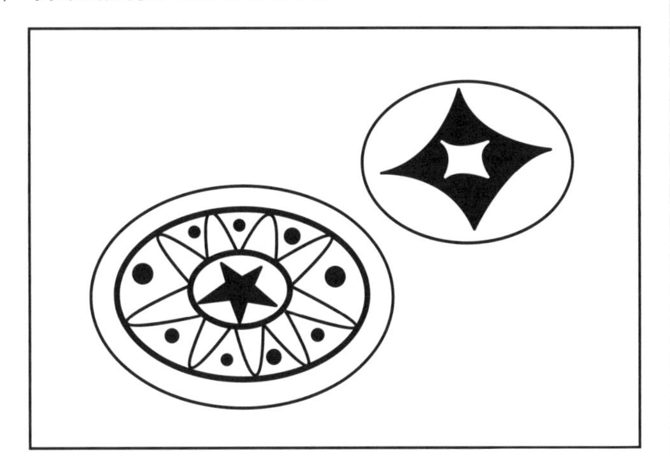

相手が描いている手元を見ずに，説明します。

説明が終わったら，相手の描いたものを一緒に確認してみましょう。思った通りに伝えられましたか？

イメージが違って伝わってしまったのはどうしてでしょうか？　話し合ってみましょう。

皆さんの旅行の写真や，ちょっと変わったキャラクターなど，説明してみましょう。

5章 言葉のつなぎ方

山崎貞子

１章では，スピーチの力を身につけるにはどうしたらよいかを学びました（伝わるスピーチA to Z p.8）。スピーチ上達の最もよい方法は，自分の欠点を見つけて改善していくことです。そのためには，正しい手順を踏まなければなりません。まずスピーチの映像や録音によって，自分の話し方を知ることから始めます。映像からは，表情，視線，姿勢，ジェスチャーなどの非言語コミュニケーションに関することがわかります。一方，録音からは，声の大きさ，話すスピード，間，フィラー，言葉のつなぎ方，文の終わり方などの言語コミュニケーションに関わることがわかります。

次に，スピーチ録音を聞き取って書き起こす作業を行って，自分の欠点をしっかり理解します。非言語と言語の両方から，自分のスピーチを文字にしていきます。語尾の伸ばし「だからー」やフィラー「えー，あのー」も書き取ります。さらにこの作業では，文の長さやつなぎ方，終わり方を振り返ることができます。

最後に，よりよいスピーチになるように赤字で修正して，口語表現力を磨いていきます。

スピーチの書き取りでは，どんな言葉を使って話しているかが明らかになりますが，ここでは特に「言葉のつなぎ方」について取り上げます。

スピーチの中で，接続する言葉として「〜けど」「〜が」をたくさん使っていませんか。聞き手にわかりやすく伝えるためには，どんな表現を使うとよいか学んでいきましょう。

1 「けど」と「が」の使いすぎは要注意

話の前後をつなぐ働きをする言葉の中で，「〜けど」「〜が」を使いすぎると文が長くなって，聞き手にわかりにくいスピーチになります。

たとえば，次の例はどうでしょうか。

「忘れられない思い出」のスピーチの書き取り例①

（スペイン旅行で）宿に帰っておいしいご飯が待っていると思って帰ったんですけど，味のないスープだったり，サラダにオリーブオイルだけをかけてあって何の味もしないただの葉っぱだったり，リゾットも出てきたんですけど，ただのべちゃべちゃのご飯で，でも後々自由行動のときにスペイン市内のお店に行ってご飯を食べたんですけど，そのお店は美味しくてやっぱりあの宿ははずれだなと友達と話しました。

「忘れられない思い出」のスピーチの書き取り例②

（陸上競技の大会の日）その日の朝のアップでもあまり体が動かず気分も落ち込んでいたんですが，そのとき監督に言われたのが「最後だから何も考えずにやって来い」と言われました。それで少し緊張もほぐれたんですが，私は走り幅跳びをしていて予選は３本しか飛べないんですが，１，２本目はファールをしていて記録がなくなるくせがあることでした。

上記の例①と例②は，いずれも「けど」「が」を何回も使っていて，聞き手にとってはわかりにくいスピーチになっています。言葉をつなぐときには，前後の関係を考えて，それに適したものを選びましょう。

（1）「けど」「が」の機能と正しい使い方

それでは，「～けど」「～が」はどんな機能をもっているのでしょうか。正しい使い方を説明します。

A　食い違う二つのことを並べる。 　熱心に話したけど，弟はまじめに聞かなかった。 　日はすっかり暮れたが，誰も帰って来ない。 B　前の部分が前提を表す。 　兄に聞いた話だけど，試合は完敗だったそうだ。 　みんなで遊園地に行ったが，とても混んでいた。

（2）正しい使い方の例

次の例は，正しい使い方ができています。

① （ゴルフ部の大会で）そこは高低差のあるホールだったのですが（A），私のショットがうまい具合にグリーンに乗り，人生で初めてのバーディーをとることができました。

② （シドニーで）二人一組になって，いろいろな学校を回って英語を話したんですけど（B），向こうの学生の方は日本語がすごくうまくて驚きました。

③ 私にも兄と姉がいて小さい頃からよく喧嘩をしますが（B），父や母とはまた違った気の許せる存在だと思っているからです。

（3）自分のスピーチをチェックしてみよう

スピーチの書き取りをした後に，自分の話したスピーチの中から「～けど」「～が」を抜き出して，上の二つに当てはまるか考えてみましょう。

2 スピーチによく使われる表現

このほかにも，よくスピーチに使われる表現を取り上げてみます。次の文は長くてわかりにくいですが，どんな言葉でつながれているでしょうか。

先生は僕たちが部活動を引退したあとでも，僕たちの面倒をずっと見てくれて，僕たちが部活ばっかりで勉強していないのがわかっていたので，勉強のために自作のプリントを作ってくれたり，夜になるまで学校で勉強に付き合ってくれて，私たちをサポートしてくれました。

この文章で使われているつなぎの言葉の意味を見ていきましょう[(1)]。

（1）時間関係を表す「～あとで」

時を表す状況節を作る言葉には「～とき」「～まえに」「～あとで」「～してから」などがあります。前後の時間関係をはっきりさせるために使われますが，後半の部分を長くしすぎないようにしましょう。また，時間連続の始まりに「～してから」は使えますが，「～あとで」は使えません。

○大学を卒業してから，5年になる。

×大学を卒業したあとで，5年になる。

（2）継起する関係を表す「～して」

続いて起こる事柄を表す「～して」は， 出来事の展開の場合によく使われます。ただし，連続して使わないように注意しましょう。

×電車のドアが開いて，たくさんの乗客が押し出されて，その勢いで老人が倒れて，それを見た駅員が慌ててやってきた。

（3）原因結果を表す「ので」と「から」

自然現象や社会状況などの客観的な原因によって，ある結果をもたらす場合や，話し手の考えによって，ある結果に至る場合があります。一つの文に両方使うとわかりにくくなります。

×大雨が降ったから，大会主催者は屋外の活動を中止にしたので，選手たちは荷物をまとめて引き上げることにした。

(4) 並立関係を表す「〜たり，〜たり」

二つの事柄を並べて表します。また交互に行われる動作も表します。「〜たり」と1回のみとする傾向が増えていますが，「〜たり，〜たり」と必ず2回使わなければなりません。文例の「勉強のために自作のプリントを作ってくれたり，夜になるまで学校で勉強に付き合ってくれて」は，「勉強のために自作のプリントを作ってくれたり，夜になるまで学校で勉強に付き合ってくれたり」に改める必要があります。

伝える力を高めるために，いろいろな種類のつなぎ方を理解して，どんどん使いこなしていきましょう。

3 スピーチの悩み解決：文が長くなる！

スピーチについて，こんな悩みを相談されました。

1）私はスピーチのときに緊張しがちで，自分の言いたいことを簡潔にスムーズに言えず，長々と話してしまい聞き手が理解しにくいと気づきました。どうしたらいいでしょうか。

2）私の話は長くまとまりがなく，聞き手が話を聞いているうちに頭の中でこんがらがってしまい，結局内容が伝わらないことがあります。何とかしたいのですが。

このほかにも「話を続けるとどんどん枝分かれしていく」「頭の中に思い浮かんだことを話してしまう」などもありました。

この悩みを解決する一つの方法は，単独で文の部分となり，構文的な機能しかもたない接続詞を使うことです。単独で働くので，使い方を理解しておくと，いろいろな場面に対応できます。また，動詞や形容詞のように意味と機能をもっているのではなく，前と後をつなぐ機能しかもっていないので，その機能をスピーチの中で生かすことができます。

ここでは，主に話し言葉に使われる接続詞を取り上げてみましょう。

上記のスピーチの悩みは，話し手が，文と文のつながりをあやふやにして話を進めることに一つの原因があります。聞き手は前後の関係がわからなくなったり，誤解したりしてしまいます。

独立した文と文を並べるだけでは，どの方向に話が向かっているのかわかりません。文と文の関係を考えて，つながりを示すことが必要です。長くなってしまった自分のスピーチを見直す方法として，次の二つのステップを試してみましょう。

【長すぎる文例】

前から欲しかったTシャツがあったので，買おうと思ったけど，試着したら，ぜんぜん似合いませんでした。

＜ステップ１＞　長すぎる文を意味のまとまりを考えて，二つか三つの文に分ける。

（A）　前から欲しかったTシャツがあったので，買おうと思いました。

（B）　試着したら，ぜんぜん似合いませんでした。

＜ステップ２＞　分けた文をつなげる接続詞を入れる。

（A）　前から欲しかったTシャツがあったので，買おうと思いました。

（B）　でも，試着したら，ぜんぜん似合いませんでした。

聞き手は「ので」「けど」「たら」などの言葉が続くと，話の内容がわかりにくくなります。意味のまとまりで文を分け，接続詞を入れると聞き手に伝わりやすくなります。

このほかにも，話をつないで，伝わりやすくする接続詞をあげておきましょう。

条件を表す　　「だとしたら」「とすると」「だったら」
並立を表す　　「それに」「そのうえ」
換言を表す　　「いってみれば」「いいかえれば」
順接を表す　　「だから」「それで」「それから」
逆接を表す　　「だけど」「それなのに」「ところが」

＜問題＞次の①②の文章を二つの文に書き換え，適切な接続詞を入れましょう。

①　ディズニーランドに行って，入場料を払って，ランチを食べて，お土産を買ったら，貯金がなくなってしまったので，明日からアルバイトの時間を増やそうと思いました。

②　野球部員は寮に入って，朝早くから練習し，午前中の授業が終わったら，昼練習の筋トレをして，夜間練習もあって疲れて眠くなるけど，勉強する時間を少しでも作らなければなりませんでした。

4　接続詞をスピーチでもっと活用しよう

スピーチの場合，接続詞を使うと，聞き手にとって前の文と後の文のつながりがわかりやすくなると同時に，話し手も前後関係をしっかり意識するようになります。そのため，話の道筋を確認しながら，先に進めることができるのです。さらに，話し手は接続詞で間を空けゆっくりと話すことで，話のスピードをコントロールできるようになり，聞き手に伝わりやすくなります。

接続詞は，文をつなぐだけでなく，節と節，単語と単語をつなぐことができる便利な言葉です。次の例のように，しっかり伝えたい場合や強調したい場合にも効果的です。

弟は頑固なところがあって，それで母から怒られてもまったく譲らない。
昨年，カナダにホームステイに行って，それからイギリスにも旅行に行った。
ハンバーグの調味料として，塩とコショウ，またナツメッグも加える。

そのうえ接続詞は，段落と段落の関係を明確にすることもできるので，スピーチの構成にも役立ちます。接続詞を使って話すためには，論理的な展開を考えなくてはならないので，論理的思考力のトレーニングにもなります。スピーチの書き取りのあと，フィラーの削除や言い間違えなどの修正をするだけでなく，言葉のつなぎ方に留意していくことで，さらなるステップアップを目指しましょう。

＜参考文献＞
（1）工藤浩・小林賢次・真田信次・鈴木泰他著 1993『日本語要説』ひつじ書房 p.251 ～ p.262

COLUMN

文の終わり方を工夫しよう

山崎貞子

スピーチを聞き取ってみると，同じような文の終わり方になっていませんか。単調な話は，聞き手にとっておもしろくありません。展示物の解説や新しい情報の提示などのスピーチでは，聞き手に興味をもたせるために，バラエティのある文末表現を工夫しましょう（伝わるスピーチ A to Z p.67）。

文のタイプには，＜構造的なもの＞と＜意味的なもの＞があります[1]。二つのタイプをもとに，文の終わり方を理解しておくとさまざまな言い回しができるようになります。

❶ 構造的なもの

このタイプは，文がどのような構成で成り立っているかによる分類です。文は，述語の品詞によって，動詞文，名詞文，形容詞文に分けられます。

動詞文（述語が動詞で終わる）	私は町田市に**住んでいる**。
名詞文（述語が名詞で終わる）	私の家は**町田市内だ**。
形容詞文（述語が形容詞で終わる）	町田市は交通の便が**よい**。

事物について説明するスピーチでは，「○○です」が多く使われ，体験について語るスピーチでは，「○○しました」「○○します」の文末表現になりがちです。前者は名詞文で，後者は動詞文です。同じような表現ばかりを並べると単調な言い回しになるので，他の種類に置き換えてみるとよいでしょう。ただし，名詞は単独では述語になれないので，「だ」や「です」を伴う必要があります。

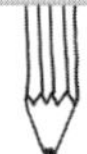

トレーニング･･･1

次の１～４は動詞文，名詞文，形容詞文のどれにあたりますか。またそれ以外の文に替えてみましょう。

1　私は落ち込みやすい。

2　太陽が光り輝いている。

3　父は厳格な人物だ。

4　K君とは仲がいい。

回答例

1　私は落ち込みやすい。（形容詞文）　→　私はすぐ悩んでしまう。（動詞文）

2　太陽が光り輝いている。（動詞文）　→　太陽がまぶしい。（形容詞文）

3　父は厳格な人物だ。（名詞文）　→　父はとても厳しい。（形容詞文）

4　K君とは仲がいい。（形容詞文）　→　K君とは友達だ。（名詞文）

トレーニング・・・2

次の展示解説のスピーチの文末表現を工夫してみましょう。

この絵は，1889年に南仏アルルで描かれたものです。作者はゴッホです。題材は入院した病院に咲いたバラです。彼の作品に特徴的な激しくうねるような筆づかいです。

回答例

この絵は，1889年に南仏アルルで描かれました。作者はゴッホです。入院した病院のバラを題材にしています。彼の作品に特徴的な激しくうねるような筆づかいです。

❷ 意味的なもの

このタイプは，発話や伝達において，文がどのような意味を担っているかによる分類です。これには，働きかけ，意志・願望，述べ立て，問いかけの文があります。

1	働きかけ（聞き手に話し手の要求を伝える）	皆さんこの本をぜひ読んで下さい。
2	意志・願望（聞き手に話し手の希望を伝える）	今年は留学しようと思います。
3	述べ立て（聞き手に情報を伝える）	国連の委員長にK氏が選ばれました。
4	問いかけ（聞き手から情報を求める）	タイに行ったことのある人はいますか。

スピーチは，話し手が準備した話を一人で進めるだけではうまくいきません。聞き手との心理的距離を近づけ，お互いの心をつなぐことが重要です（伝わるスピーチ A to Z p.61）。新聞記事のスピーチの中で，聞き手に「みなさんは，夫婦別姓について考えたことがありますか。」の問いかけの文を入れることで，話し手は一歩聞き手に近づきます。また，体験を語る

スピーチでは，「相撲の観戦に行ったことがある人は，手をあげて下さい。」と働きかけの文を入れると効果的でしょう。

スピーチの最後の一文は，工夫が必要です。聞き手との関係を作る言葉で締めくくることが求められます。「サッカー観戦が好きな人がいたら，今度一緒に行きましょう。」と働きかけの文で終わるとよいでしょう（伝わるスピーチ A to Z p.10，p.11）。

話し手と聞き手の関係性を近づけるために，それぞれの意味の違いを理解して，文の終わり方を工夫しましょう。

トレーニング・・・3

次の述べ立て文を，適切な言葉を補って，A働きかけ，B意志・願望，C問いかけに替えてみましょう。

1　東京オリンピックを見に行きます。

2　被災地のボランティア活動に参加します。

回答例

1　東京オリンピックを見に行きます。

A　東京オリンピックを見に行きませんか。

B　東京オリンピックを見に行こうと思います。

C　東京オリンピックを見に行きますか。

2　被災地のボランティア活動に参加します。

A　被災地のボランティア活動に一緒に参加しましょう。

B　被災地のボランティア活動に参加するつもりです。

C　被災地のボランティア活動に参加しますか。

<参考文献>

（1）工藤浩・小林賢次・真田信次・鈴木泰他著 1993『日本語要説』ひつじ書房 p.19 ～ p.25

柔軟な発想力のために(2)
——登場人物批判

鈴木有香

「おもしろいスピーチといっても，私はそんなに発想力ないし！」とお悩みのあなた，大丈夫です。別にゼロから考える必要はないのです。世の中の人が常識的に考えていることを知っていれば，そこをスタートに考えてみればいいのです。誰もが「フツー」に思っていることについて，角度をずらして自分の主張と根拠を展開させる練習をしてみましょう。このテクニックはお笑い芸人もよく使っています。でも，ちょっとした工夫でユーモアもありつつ，頭のよさそうなスピーチにもなります。ここでは，皆さんの知っている物語やマンガの主人公を批判するところから練習を始めます。そして，自分の意見を相手に納得してもらうための根拠について学びましょう。

1 初級編「登場人物批判」

一般に「桃太郎」は悪い鬼を退治した勇気のある男の子と描かれていますが，果たして彼は本当の英雄なのでしょうか。視点を変えてみると，まったく異なる主張ができます。

＜桃太郎批判１＞

① 多くの人は桃太郎を悪い鬼を退治した英雄だと考えています。
② しかし，私は桃太郎はブラック企業の社長よりひどい人だと思います。
③ なぜなら，お供にしたサル，キジ，イヌにはキビ団子しか与えていないのに，命がけの仕事をさせているからです。キビ団子だけで，命をかけて働く人はいるでしょうか。
④ 実際の労働に見合った給料や保障を約束せず，命をかけるような仕事をさせることはブラック企業の経営者よりひどいかもしれません。ですから，桃太郎は極悪非道な子どもだと私は考えます。

＜桃太郎批判２＞

① 多くの人は桃太郎を悪い鬼を退治した英雄だと考えています。
② しかし，真の英雄は桃太郎のおばあさんだと思います。
③ なぜなら，子どもの桃太郎，サル，キジ，イヌが自分の身体よりも大きく，肉体的にも

強い鬼たちを倒せるだけのパワーをつけるキビ団子を作ったのはおばあさんだからです。

④ 実際に戦わなくても，子どもの桃太郎や動物たちの戦闘能力を高めるような料理を作ったおばあさんこそ，評価されるべき人だと私は考えます。

「批判１」は桃太郎が動物たちに渡したキビ団子とその労働力に注目した点で考えています。「批判２」は桃太郎と動物たちの力を強めたキビ団子に注目しています。物語の中の何かに注目して考えてみると，一般的な物語とは違う裏のストーリーが浮かび上がってきます。

上記の登場人物批判は以下のようなパターンを使って書いています。みなさんも遊び心をもって，楽しみながら書いてみてください。とりあえず，②の「しかし，……」の文を作ってみて，後は屁理屈を並べるような気分でやってみてください。

① 一般的，常識的意見を書く

② しかし ①とはまったく異なる考えを自分の意見として書く

③ なぜなら ②の意見の理由を書く

④ 結論

トレーニング･･･1 ネタ帳を作ろう！

下記の物語リストを参考に，登場人物についての①一般的な考え方，②まったく異なる新しい考え方，③その理由を例のように書いてみましょう。

人物	例 シンデレラ	
①一般的な考え方	心優しく美しい少女	
②まったく異なる新しい考え方	男性をスペックで選ぶ計算高い女性	
③その理由	王子とじっくりと話し合ったり，デートもしたこともないのに結婚を決めた。シンデレラが結婚前に王子についてよく知っていたことは地位と財産だから。	

＜物語リスト＞
浦島太郎，鶴の恩返し，かぐや姫，雪女，白雪姫，ロミオとジュリエット，有名なアニメなど，自分の好きな物語なんでも！

トレーニング・・・2　登場人物批判の文章を完成させよう！

ネタ帳を参考に，前ページのパターンを使って，登場人物批判の文章を完成させてみましょう。友達に発表してみて，感想をもらいましょう。

2 中級編「登場人物批判」

上記のパターンを発展させると，ちょっとしたブラックユーモアのあるスピーチになります。登場人物や物語を知らない人に対して，まず，作品について簡単に紹介する段落を最初に入れたうえで，初級で練習したパターンを使います。できれば，あなたの意見の理由になるところをより詳細に語り，かつ多くの人が「そうだ！」と思うような理屈になれば最強です。なお，最後にオーディエンスが興味を引きそうなタイトルをつけるといいでしょう。

原稿	ポイント
とても怖い兄妹：「お菓子の家」事件を考える	タイトル
①「ヘンゼルとグレーテル」というのはグリム童話の中の一つです。親に捨てられた兄と妹がお菓子の家に住む魔法使いの家に囚われて，兄のヘンゼルが魔法使いに食べ殺されそうになります。ところが妹が機転をきかせて魔法使いを退治し，二人は両親のもとに魔法使いの宝を持って帰り，家族は幸せになったという話です。	①作品や主人公を紹介する
②多くの人にとって，悪者は魔法使いです。	②一般的，常識的な意見・解釈
③しかし，私はこの兄と妹のほうにも罪があると思います。理由は二つあります。	③自分自身のユニークで異なる意見，解釈

④一つはヘンゼルとグレーテルは魔法使いの家を家主の許可なく，勝手に食べてしまいました。いくらお腹がすいていたとしても，人の家を壊して食べていいのでしょうか。これは強盗や泥棒と同じ行為です。 二つ目の理由は，グレーテルは兄を救うために，魔法使いを殺してしまいます。自分の家族を守るなら，人を殺してもいいのかという問題があります。	④自分の意見の根拠，理由 （できれば二つから三つ）
⑤ヘンゼルとグレーテルは泥棒であり，殺人者なので，この兄と妹が正しいことをしているとは，私には考えられません。	⑤結論

トレーニング・・・3　作品紹介を作ろう！

上記のポイントを参考にあなたの作品を作ってみましょう。

3 根拠について

とりあえず意見を言ったら，「そだねー。」とか「いいね。」と同意してもらいたいという気持ちは誰にでもあります。たとえば，あなたが「明日は雨が降るよ。」と言ったら，何人が心から「その通り！」と思ってくれるでしょうか。でも，気象予報士が「明日は雨が降ります。」と言ったら，多くの人が信じますね。それは，「専門家が言うから正しいだろう。」とみんなが思うからです。では，特別な専門知識もなく，地位もない人が「いいね。」をもらうにはどうしたらいいか。それが 意見 + 根拠（理由） のセットです。

あなたが現在の天気図を示しながら，「明日は雨が降るよ。なぜなら，九州に台風が上陸していて，そのまま本州を縦断する進路をとり，スピードを上げているから，明朝にはこの付近を通るはずだよ。」と，あなたが根拠を説明したら，「そうだね。」という人が増えるのではないでしょうか。

では，「明日は雨が降るよ。なぜなら，うちのおばあちゃんが昨日から膝が痛いって言っているから。」という根拠はどうでしょうか。そのおばあちゃんをよく知っている家族や親戚は「そうだね。」というかもしれませんが，知らない人には「そうだね。」とはいえません。これは先ほど紹介した根拠より弱い根拠といえます。

スピーチのときは，多くの人が「そうだね。」と思うような強い根拠を出していきたいものです。

トレーニング・・・4 根拠の強さ勝負

① どの根拠が強いでしょうか。例のように，一番強いと思われる根拠を選んでその理由を考えましょう。

② そのあとで，他の人と意見交換してください。

例 **意見：明日は雨が降るでしょう。**

根拠：

（ ○ ）今日の天気予報で気象予報士が言っていたから。

（　　）父がそう言っていたから。

（　　）猫が顔を洗ったから。

理由：　この中で専門性があることがわかるのは気象予報士だけだから。

（1）意見：「クレヨンしんちゃん」の野原しんのすけは頭が良いと思います。

（　　）5歳なのに一人でペットの犬を散歩に連れていくことができるから。

（　　）大人の女性の魅力を理解して，気をひくために，「ねえ，彼女，たい焼きは頭から食べるほう，それとも尾っぽから食べるタイプ？」のような意外なナンパ表現ができるから。

（　　）自分の身体の一部を使って，「ぞうさん」を作り，人を驚かせることを考えるなど，ユニークな発想ができるから。

理由：＿＿＿＿＿＿＿＿＿＿＿＿＿＿＿＿＿＿＿＿

（2）意見：整形手術はしないほうがいいと思います。

（　　）手術によっては定期的なメインテナンスが必要なものがあり，その金額が払い続けられない場合，悲惨なことになるから。

（　　）物事はいつでも100％成功するとは限らないから。

（　　）美容整形の著書もある医師の吉岡先生は「100％失敗しないことはありえない。」と雑誌『VeVe』の整形特集記事の中で語っていました。

理由：＿＿＿＿＿＿＿＿＿＿＿＿＿＿＿＿＿＿＿＿

＊上記の問題に確実な正解が一つあると考えるのではなく，他の人と「理由」を話し合う中で，新しい考えも出てくるかもしれません。それについても話し合ってみましょう。最終的にお互いが納得できる理由が生まれればよいのです。もし，意見が違っていてもそれはそれでかまいません。お互いが違う意見をもっているということがわかることも大切だからです。

続いて，根拠を強めるコツもいくつかご紹介しましょう。

コツ１：一つよりは複数の根拠を出すこと

刑事が犯人を確定するとき，一つの証拠で決めますか。いくつかの証拠を積み上げますね。スピーチも同じです。「クレヨンしんちゃん」の例にあるように，一つ一つの例は物語の中の証拠となる事実です。一つの意見に10個根拠を出しても，聞いている人は全部覚えられません。三つ程度の根拠が出せるといいでしょう。

コツ２：より具体的，詳細であること

整形手術の例で考えてみましょう。「物事はいつでも100％成功するとは限らないから。」というのは，論理的にも常識的にも，ある意味，真実です。しかし，それをさらに強い根拠とするのは，専門家が言っているという事実です。これが引用の力というものです。確かに，美容整形の先生が「100％失敗しないことはありえない。」というのを，整形手術に興味のある女性読者が読みそうな雑誌から引用するのは強い根拠の一つでしょう。そして，それをさらに強くするのには，具体的な情報をさらに追加することです。

「100％失敗しないことはありえない。」と吉岡先生は語り，いくつか例を説明していました。

・ヒルアロン酸を注入するという簡単な手術でも，注入する量を間違えたり，その人に合うヒルアロン酸の選択を間違えるなどのリスクがあり，顔がアバターのように膨れ上がる事例もあるそうです。

・鼻の穴を小さくするプチ整形がありますが，技術のない医師がやると失敗することがあります。たとえば，小鼻の横に傷が残ったり，鼻の穴が小さくなりすぎて顔全体とのバランスがおかしくなったり，さらに呼吸がしにくくなるなどの失敗例があります。そして，切開が伴う手術の場合，完全

に元に戻すことが難しいそうです。

いかがですか。失敗のイメージがありありと見えてきませんか。相手にはっきりとイメージを伝えるのは一つの説得力です。そのためには，具体的に，詳しく語ることです。これに失敗例の写真を一緒に見せたら，さらに説得力が増すでしょう。上記のように一つの根拠をさらに詳しく語っていくことで段落を作ることができます。

コツ3：多角的な視点から根拠を出すこと

また，「整形手術反対」の立場から考えてみましょう。この意見に対して有効な根拠は「①失敗のリスクがあること」，「②手術によってはメインテナンス費用がかかること」の2点です。心配性で臆病な人には①の根拠が効果的ですし，お金のことが心配な人には②の根拠が効果的ですね。つまり，違うタイプの根拠を出すことで，さまざまなタイプの人の心に届きやすくなり，より多くの人が「そうだね。」と思う可能性が高まります。できれば，ここも三つくらいの視点を出すといいでしょう。他にどんな視点からの切り口があるでしょうか。たとえば，主観の問題，心理的問題，科学的問題など，いろいろな角度から考えられます。異なる視点からどのような根拠が語れるかの例を紹介しましょう。

・何が美しいかというのは人によって違います。濃い顔が好きな人もいるし，あっさりした顔が好きな人もいます。あなたが整形して自分の顔がきれいになったと思っても，きれいじゃないと思う人もいるでしょう。(主観の問題)

・整形手術をすることで，自分がなりたい顔になれる時代になってきました。しかし，医師や他の人から「これ以上やるとキレイよりは不自然になる。」と言われても，整形手術を繰り返す整形依存症の人々も出てきています。日本では10年で100回以上整形した女性もいます。アメリカでは，完璧な顔になろうとして，5000万円以上かけて42回手術を繰り返した男性もいます。この男性は1年に3回も鼻の手術をして，細菌に感染し命を落としそうになったそうです。(心理的問題と具体的事実)

・科学技術の進歩は目覚ましいので，人は自分の望む顔を手に入れられるようになりました。しかし，今の技術で安全といわれた手術を受けた人が30年以上たっても安全だったという臨床検査はできないのです。あくまで，現在安全であるというだけで，将来もそれが正しいという保証はありません。(科学的問題)

視点としての切り口は本当に多様です。一つの意見をいろいろな角度から考えてみましょう。今はインターネットを通じていろいろな情報を取ることができますから，いくつかの視点から検索してみるといいでしょう。そして，いくつか根拠になりそうな情報を手に入れたら，どの根拠の組み合わせが効果的かと考えて三つ程度選び，スピーチに入れればいいのです。

トレーニング･･･5　多角的な視点の情報を集めよう！

意見をサポートするような根拠になる情報を以下の視点から探してみてください。一つの意見に対して，三つくらいの情報を異なる視点から探してみましょう。

【意見】

① 整形手術をしたい人はしたほうがいい。

② 同性愛の人同士の結婚を認めるべきだ。

③ 政府は子どもや教育に関係する予算をもっと増やすべきだ。

④ 男女別姓を認めるべきだ。

⑤ 小学校や中学校での落第と飛び級を認めるべきだ。

⑥ 自分自身の意見，強く信じていること。

理由：＿＿＿＿＿＿＿＿＿＿＿＿＿＿＿＿＿＿＿＿

【根拠の視点】

・現在の事実	・宗教的視点	・社会的弱者の視点
・歴史的事実	・道徳的視点	・社会的強者の視点
・専門家の意見	・一般常識からの視点	・経済的視点
・ことわざ，格言	・さまざまな外国からの視点	・長期的視点
・統計的データ	・科学的視点	・短期的視点
・法的視点	・外国の現状から	・その他の視点

4 上級編「新聞記事，社会問題」をナナメに切る！

さあ，中級編までできれば，もうどんな問題もあなたは批判できるコツをつかみました。実は，おとぎ話だけではなく，新聞記事，社会問題についても上記のパターンが応用できます。たとえば，「子どもの臓器移植」「死刑」「AI」「原子力エネルギー」など，意見が分かれそうな問題について書かれている記事を読み，自分の意見を述べることもできます。重要なことは自分の意見を支える根拠です。聴衆が納得できるような証拠（エビデンス）を示すことです。

証拠には，個人的な経験や気持ちよりも普遍的事実，歴史的事実，道徳的規範，法律，信頼できる統計・データ，専門家のコメントなど，聴衆が共有している知識や正当性のあるものが効果的です。多角的な観点から根拠を示し，多くの人が「そうだね！」と思うようなスピーチを作ってみてください。

AIは私たちの仕事を奪うのか？	タイトル
①銀行の融資担当者，スポーツの審判，ホテルの受付係，レジ係，ネイリスト，露店商人……これらの共通点はなんだと思いますか。	①導入部（スピーチに関心をもってもらうための前振り）
②これらは2014年に発表された『雇用の未来：コンピュータ化によって仕事は失われるのか』という論文の中で，アメリカでなくなる職業としてあげられたものです。この著者のオックスフォード大学のマイケル・A・オズボーン准教授は，2015年には，日本の野村総合研究所とともに，日本国内の職業を対象とした同様の調査をしました。結果は，日本国内でも49％の労働人口が10年～20年後には機械に代わられる可能性が高いということでした。	②「テーマ」に関する記事の要約と著者の主張（著者名，記事の出典を明示する）
③自分の仕事がなくなってしまったら，どうしたらいいのだろうかと，不安を感じている人も少なくないかもしれません。	③一般的，常識的な意見・解釈
④確かに，将来的に消える仕事はあると思いますが，悲観的になる必要はないと私は思います。その理由を三つ述べます。	④テーマについての自分自身の意見，解釈

⑤歴史の中で技術革新は常にありました。蒸気機関車，電車，自動車と私たちは新しい技術を生活に取り入れました。その技術発展にともなって，飛脚，馬車の御者，機関車の釜に石炭を入れる仕事は日本ではほぼ消えています。しかし，ドローン操縦士，YouTuber など，技術の革新によって 50 年前になかったような新しい職業も生まれています。時代の変化とともになくなる仕事，新しくできる仕事があるのはごく当たり前のことともいえます。	⑤自分の意見の根拠，理由 （歴史的事実） （現在の事実）
次にすべてを機械化する技術とコストは膨大になるという点です。私は和菓子屋でアルバイトをしていますが，レジを打つ以外にも，和菓子をガラスケースに補充したり，並べたり，包んだりします。また，お店の掃除をすることもあります。この一つ一つの動作を機械ができるようにする設計は複雑でコストは膨大になると，雇用ジャーナリストの海老原嗣生さんは日経 bizgate（2018 年 6 月 19 日）の記事で述べていました。人間は複数の課題を一人で臨機応変にやれるのですが，機械１台が和菓子屋でやることをすべてできるわけではありません。個人商店では機械よりも人間のほうが役立つかもしれません。和菓子を作って売るお店を経営するためには，何台もの機械が必要になるでしょう。	（自分の経験） （専門家の引用）
さらに，私たちは雰囲気を楽しむためにお店に行ったり，旅行をしたりします。たとえば，京都へ行って抹茶と和菓子を景色とともに楽しみたいとき，タッチパネルで注文して，自動的にお茶とお菓子が運ばれることを期待するでしょうか。和服を着たお店の人とあいさつをかわし，注文をし，味わうことすべてが雰囲気の一部です。そして，古都や和の雰囲気を楽しむのではないでしょうか。そうした情緒や雰囲気を壊さないくらいに人間とそっくりに動くロボットを作るのにはまだまだ時間がかかりそうです。	（一般的常識）

⑥技術の発展によって，私たちの生活も変化し，消えていく職業もあります。しかし，なくなることだけに注目し不安になる必要はありません。	⑥結論 （自分の意見）
ホリエモンこと堀江貴文さんは，「AIが5本の指を自由に動かせるようになったら，ほとんどの作業が機械に代わる時代になるが，それがいつ来るかはわからない。」と言っています。見えない未来の不安を考えるよりも，「今，何をすべきか」のほうが大切だと思います。堀江さんは「自分の『好き』という感情に向き合い，それに没頭することが仕事につながる状況が増えている」とも言っていました。自分の「好き」を極めていく過程の中で今までにない仕事が生まれてくる可能性があると言っているように思います。	（専門家の引用）
たとえば，お笑い芸人のヒロシは一人でキャンプをすることが好きで，それをYouTubeにアップしていました。すると，ファンがどんどん増えて，今はその収入で生活費を稼げるそうです。	（現在の事実）
自分の「好き」を追求していくところに，新しい仕事や職業が生まれてくるともいえます。そうならば，私たち自身も新しい仕事や職業を創ることができるかもしれません。自分の「好き」を極めることが未来をつくるならば，不安なことを考えるよりも，今，自分が本当に何が好きかをまず見つけることが大切だと私は思いました。	（全体をまとめる自分の意見）

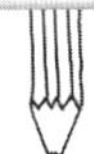

トレーニング・・・6

上記の原稿を参考に，あなた自身の意見について複数の根拠を入れた原稿を作ってみましょう。

＜参考文献＞（参照日 2019.9.30）
海老原嗣生
https://bizgate.nikkei.co.jp/article/DGXZZO31332030040620180000000?page=3
堀江貴文
https://toyokeizai.net/articles/-/219675?page=3 （東洋経済 ONLINE 2018年10月25日）
https://www.vivi.tv/topics/2018/11/8052/
https://front-row.jp/_ct/17196933）

7章 スピーチにおける非言語表現

高山昇

言葉や文字などの言語（Verbal：バーバル）的な表現に対して，表情・視線・距離・接触・姿勢やジェスチャーなどを非言語（Nonverbal：ノンバーバル）表現と呼んでいます。スピーチする場面や話の内容に適した非言語表現を，意識的にコントロールできることを目指してください。

心理学分野でよく知られている実験では，言葉の内容と表情（もしくは声質）が矛盾している場合，表情に重きを置く人が55%，声の質に重きを置く人が38%，言葉の内容に重きを置く人はわずか7%だったという結果があります。つまり，私たちの日常では，言葉そのものの意味と見た目や話し方が矛盾している場合，「何を言ったか」より「どのように言ったか」が重視されているということです。

このような仕組みはスピーチでも同じです。話の内容や順序ばかりに気をとられてしまい，話し方や見た目に配慮が足りないと，せっかくのスピーチが台無しになってしまう危険性があります。スピーチをするときには，話の内容や自分の意見に合った（矛盾しない）話し方や見た目を心がける必要があるのです。ただし，話し方や見た目さえ整えておけばいいかというと，そういうことではありません。スピーチの構成をしっかりと練った上で，話し方や見た目にも配慮することが大切です。

1 姿勢～聞き手の集中をスピーチに向けさせるために

スピーチをするときに，まず気をつけてほしい非言語表現は姿勢です。「姿勢を正す」ということには，背筋をピンと伸ばしてきちんとした姿勢をするという身体的な意味と，気持ちを引き締めるという精神的な意味があります。非言語表現がもっている役割として，感情を表すという側面だけではなく，行動によって自分自身や聞き手の意識状態を変えるという効果が期待できます。スピーチをするときには，まず“しっかりと立つ”ことを意識してください。

一般的に男性は両足を自分の肩幅よりやや狭いくらいに開いて，女性は踵（かかと）をつけて立つことが自然であるといわれています。また，両手の置き場所も姿勢に影響を与えます。基本的には，両脚の側面につける（気をつけの場所），身体の前で組む，後ろで組むという三つのパターンですが，そのときに首や肩が前に落ちたり，背中が丸まったりしないように注意してください。体の前後で手を組むときには，組んだ手をベルトの辺りまで持ち上げるといい姿勢が保てるかもしれません。自分なりにいろいろと試してみましょう。

スピーチをしているときには，どうしても体が動いてしまいますが，これは多くの人にとってナチュラルな動作（仕草）です。たとえば肩が揺れる，腰が右へ左へと突っ張る，髪の毛を触る，小さく背伸びをする，足先が開くなどがよく見られる現象です。体を動かさないということは，意外に難しいことです。しかし，スピーチの最中に，話している内容と関係のない動作をしてしまうと，聞き手の集中はスピーチを“聞く”ことから，動いたところを“見る”ことに変わってしまいます。無意識な動作によって，スピーチの内容が伝わりにくくならないよう，正しい姿勢を保つようにしましょう。

2 視線～聞き手とのつながりを作るために

スピーチに関わる非言語表現の二つ目は視線です。私たちは日常的な会話の中で，数秒という短時間ですが，繰り返しお互いを見たり見られたりしています。これは一般にアイコンタクトと呼ばれている行為です。通常，アイコンタクトは会話のポイントや話題の性質，相互の関係によって生じます。また，話し手・聞き手双方が，言葉に出さない（出せない）意思や感情を伝えるときにもアイコンタクトを必要とします。私たちはアイコンタクトがなければ，十分なコミュニケーションを感じることができません。スピーチにおいても，聞き手とアイコンタクトをとることはとても重要な要素です。

日常的な会話の中では1，2秒，内容によっては3～10秒の長さで相手と見合っているといわれています。ただし，相手を見ることがこれよりも長くなると，見られる側や周囲の人たちが不安や不信感を抱くといわれています。スピーチの中では「私の名前は○○○○です。」というフレーズが，ちょうど3秒程度です。この一文が一人の聞き手に十分なアイコンタクト量だと考えて下さい。聞き手を見ようとするあまりに，この一文の間に3～5人を見渡そうとする人がいますが，これは逆効果です。話し手としては“みんな”を見ようとしているのでしょうが，聞き手にとっては“私”を見ようとしてくれていないと感じてしまう，不十分なアイコンタクトになってしまいます。

聞き手に伝えるスピーチのアイコンタクトは，「一人に一文」が大原則です。長い文は接続詞を境にして「一人に前半」，「もう一人に後半」です。ぜひ試してみてください。ちなみに，二つ以上の接続詞のある文は，スピーチの原稿としては長文です。聞き手にわかりやすいように，文を分割するようにしてください。

3 表情～聞き手に自分の意見を伝えるために

スピーチに関わる三つ目の非言語表現は表情です。表情豊かにスピーチすることは，非言語表現の中で最も難しいことです。顔というと，どうしても目，鼻，口などのパーツの大小や配置のバランスなどに意識が向いてしまいます。しかし，感情を表現する場合には顔のパーツを動かすこと，つまり，「どのような顔をするか」「どのような顔を見せるか」という，表情を作ることが重要になってきます。

毎年の授業で，とても表情豊かにスピーチをする人に出会います。皆さんも「上手だなぁ」「うらやましいなぁ」と感じる人を見たことがあるでしょう。これらの人たちに共通していることは，顔をよく動かすことです。眉から目のまわり，口元から頬の部分を臆せず大きく動かして，実にわかりやすく感情を表現しています。皆さんも動くところはしっかり大きく動かして，自分の表情をコントロールしてみましょう。しっかりと目を開けることはアイコンタクトのアピールに，大きく口を開けることは聞きやすい発音・発語にもつながります。

人前に立つと顔が赤く（熱く）なったり，顔の筋肉が引きつったりすることがあります。程度の差はあれ，誰にでも経験のあることです。これは精神的な負担（緊張）が原因の症状で，手足が震えたり，汗をかいたり，鼓動が早くなるのも同じ理由だそうです。医学的には大きな深呼吸を数回して，体の中に酸素を取り入れれば改善されるといわれていますが，経験上そう簡単には治まってはくれません。大抵の場合，いつの間にか治まるか，その場から解放されることによって徐々に治まっていきます。

このような症状には，心理的な不安要因を取り除くことが効果的です。スピーチでいえば，話す内容と構成をしっかりと作成し，準備しておくこと。録音や録画のできる機器を使って何度もリハーサルをしておくことがとても大切です。一回の成功スピーチによって自信がつくと，次のスピーチでの心持ちが大きく変わります。それを繰り返すことによって緊張の症状も軽くなり，やがて症状が出なくなるかもしれません。物は試しです。一度，完璧な準備をして，スピーチに臨んでみて下さい。

4 ジェスチャー～聞き手の誤解を避け，理解を助けるために

スピーチに関わる非言語表現の最後はジェスチャーです。ジェスチャーが言語的コミュニケーションを促進し，言語に対して付加的，代用的な役割を果たしていることは広く知られています。「ごめんなさい」と言いながら両手を合わせたり，了承する際に指でOKサインを作ったりするなどのジェスチャーは，誰もが日常的に用いています。

日本人は欧米人に比べ，ジェスチャーが小さく苦手だといわれていますが，これはコミュニケーションスキルが劣っているわけではありません。欧米のように異なった言葉や（宗教など

を背景とした）文化で暮らす人々は価値観や考え方が違うため，言葉だけのコミュニケーションでは意思疎通が困難な場面が多くあります。つまり“伝わらないこと”がベースなのです。一方，日本のような島国では多くの人々が同じ言葉，同じような生活様式で暮らしているため，価値観や考え方が似通っています。そのため，言葉だけで大抵の人たちと意思の疎通ができます。このような社会において，ジェスチャーは必要不可欠なコミュニケーションツールではありません。

私たちがジェスチャーを用いるときには，次のようなことに注意をする必要があります。まず一つ目は，あまり大げさなジェスチャーをしないことです。聞き手に鬱陶しく思われて反感をもたれてしまう危険性があります。必要最低限の控えめなジェスチャーを心がけましょう。二つ目は，意味のないジェスチャーをしないことです。これは癖のような無意識な動きのことですので，聞き手の誤解を招かぬよう，意識して抑えるようにしましょう。

もちろん，スピーチをするうえでジェスチャーが必要なときもあります。たとえば，モノの大きさや形を伝えたいときなど，ジェスチャーはとても有効な手段です。ジェスチャーを使うか否かのポイントは，そのジェスチャーが聞き手の理解の手助けになるかどうかということです。聞き手の立場になって考えて，よりスピーチの内容が伝わりやすいジェスチャーを心がけるようにしましょう。

スピーチは出来事や自分の意見を聞き手に伝える行為です。いいスピーチとは上手に“話す”ことではありません。上手に“伝える”ことです。聞き手にどのくらい伝わったかは，言語と非言語の掛け算だと思ってください。内容や構成が優れていても，伝え方を間違えてしまうと思うような結果にはつながりません。しかし一方で，多少内容や構成に不備があったとしても，伝え方でカバーすることは可能です。“何を話すか”という言語表現とともに，“どのように話すか”という非言語表現にも気を配り，自分自身が納得のいく“伝わるスピーチ”を心がけるようにしましょう。

8章 伝わりやすい話し方のために
――声の力を信じよう

遠田恵子

1 「声柄」を磨く〜どんな声にも味わいがある

「声柄（こえがら）」という言葉を聞いたことがありますか？ 「人柄」ならぬ「声柄」。辞書で調べると，「声の質・様子・声つき」と解説されていますが，私は「声で人となりがわかること」だと考えています。

「口語表現」の授業で，レポートを書くために，録音したスピーチの書き起こしをしますね。多くの学生が，「自分の声の録音を聴くのがユウウツ」とか，「もっといい声になりたい！」と言ってきますが，果たして「いい声」とはどんな声なのでしょうか。

声のよしあしは多分に主観的なもので，好き嫌いが分かれるものでもあります。確かに聞きやすい声というものはあるでしょう。でもだからといって，思いがきちんと伝わるかどうかは別のお話。相手にわかってほしい，伝えたいという思いをもって話しているかどうかということが，きれいな声であること以上に大切なことなのです。

心にもないことを話すときは，どうしたって棒読みになります。相手を軽んじているときは，ぶっきらぼうで横柄な話し方になりますね。逆に，相手にどうしてもわかってほしいと思うときには声にも力が入りますし，自然と熱を帯びてきます。その人の心のあり様が，いわゆる「声柄」となって表れるのです。

自分の声が「低くて暗い」という人には「説得力を出せる声」だと教えます。「甲高くてうるさい声」は，「場を華やかにする声」でもあるのです。「ハスキーな声」は「セクシーな声」ともいえますね。話し方も同じ。訛りがあるからちょっと人前で話すのは嫌だという人には，「人の心に残る話し方」だと伝えます。見方を少し変えてみれば，それは「個性」。ほかの人にはない「強み」であるともいえるのです。

どんな声にも味わいがあります。大事なのは，そこに気づいているかどうかです。まずは自分の声や話し方を知り，それを好きになりましょう。そして，自信をもつために「声柄」を磨くのです。一日一日の生き方が「声柄」に現れます。その上で，発声や滑舌といった実践的なトレーニングを重ねていけば，あなたの声はさらに伝わりやすくなるはずです。

2 声の表現力を磨こう

「声」は，磨けば磨くほど，つややかに聞きやすくなるもの。実践トレーニングを紹介します。決して無理をせず，隙間時間を上手に見つけてやってみましょう。

① 声の通り道を作る

いきなり声を出すのではなく，声の通り道である身体を少しほぐしてから。深呼吸，首や肩をゆっくりまわしてリラックス。心と体をのびやかに開放し，平らかでまっすぐな声の通り道を作りましょう。

② だんまりあいうえお

声を出さずに，「あ・い・う・え・お」と，大きく口を動かします。3回ぐらい繰り返すと，じんわり口の周りが温まってきます。余裕があれば「さ行」でも「ら行」でも。自分の苦手な行を繰り返すのもいいでしょう。これで準備運動は完了です。

③ なりきり早口言葉

よくある滑舌練習でもいいのですが，ここでは早口言葉を活用してみます。ただでさえ言いにくいのに，無駄に情感を込めるトレーニング。「喜怒哀楽」の感情を表しながら声に出していきましょう。たとえば，「生麦生米生卵」を「喜」の感情で。思いっきり嬉しそうに「なまむぎ〜ふふ，なまごめぇ〜，なまたまご〜，ははは」という感じ。思いっきり明るい声で，テンポよく。嬉しそうに聞こえる声の色を工夫します。同じく「怒」でもやってみましょう。「生麦！　生米っ！　生卵だぁっ！！」。太く低めの声で短く強く。あるいは，抑揚のない声で平坦に淡々と語り，静かな怒りを表す人もいるかもしれませんね。

④ 活字を声にのせて読む

早口言葉がどうにも苦手という人は，新聞記事を音読してみましょう。好きな小説の一説でも構いません。なりきり早口言葉とは反対に，書かれていることの情感を推し量りながら，自分の声で表現してみるのです。お祭りの記事は軽やかに。悲しい記事は抑えめに。

声のトーンや幅を意識して，活字を声にのせてみましょう。

⑤ 声の“幅”を広げよう

色と一緒で，人の気持ちには「グラデーション（濃淡）」があります。たとえば「楽しい」という気持ち。思わずクスリと笑ってしまうようなことから，あははと声に出して笑ってしまうこと，そして「おなかを抱えて」とか「身をよじるように」笑ってしまうことまで，感情の幅は広いのです。「怒り」の気持ちはもっとわかりやすいですね。ちょっとムッとするという程度から，思わず声を荒げてしまう怒り，さらには「腸（はらわた）が煮えくり返るほど」の怒りまで。その時々の自分の気持ちがまっすぐに相手に届くかどうかは，ズバリ，「声の幅」をどのくらいもっているかどうか。ささやき声，半径2メートルで聞こえるような声，遠くの誰かを振り向かせるような大きな声。自分が出しやすい声を仮にレベル0だとしたら，プラスマイナス10ぐらいは，声の幅をもっておきたいもの。もちろん，どんな言葉を選ぶかということも重要ですね。言葉の引き出しをたくさん用意して，そこから取り出す言葉にどんな声をのせていくのか，考えてみましょう。

3 声の可能性は無限大

自分の声の可能性に，大方の人は無頓着です。ちょっとトーンを変えるだけで，少し高低を工夫するだけで，ぐんと表現の幅が広がるのに，なんてもったいないことか。

なりきり早口言葉に挑戦した人からは，「こんな声が出るなんて！」「自分のこんな声，初めて聞いた」など，驚きの感想がたくさん届きます。自分でも知らなかった自分の声。新たな発見。それはすなわち，あなたの声の可能性が広がったということなのです。暮らしの中のちょっとした隙間時間を使って，やってみましょう。

最後にとっておきの裏技を一つ。口角をキュッと上げてみてください。あら不思議。口角が上がって笑顔になると，あなたの声も笑います。一日の始まりは，口角を上げることから。そして，第一声ははつらつと。あなたの声が，きっと周りを明るくするはずです。

9章 よい話し手になるための話し方
——そのポイントとトレーニング方法

稲垣文子

1 よい話し方とは

みなさんの中には，アナウンサーのように，きれいな声で，流れるように話せるようになりたいと夢見ている人は少なくないでしょう。が，もしも，本当に誰もがあんな話し方をするようになったとしたらどうでしょう。

たとえば，口語表現Ｉのクラスは１クラスあたり 30 人弱です。その受講生全員が，美しくはあるけれども皆が皆同じような淀みない話し方でスピーチをする様子を想像してみてください。誰が，どのような話をしたのか，あなたははたしてすべて記憶できるでしょうか。「あれ？　○○の話をしたのは，△△さんだったかな？　それとも□□さんだったかな？」と記憶がきっとこんがらがってしまうと思います。

そう，人の話というのは，その内容だけでなく，発話者の話し方や声も含めた全体で印象というものを生み出し，そうして聞き手の記憶にインプットされるのです。「ぼそぼそとした話し方がなんともあたたかくて，印象に残った」などという評価がなされる場合があるのはそのためです。

そう考えると，小さな声で遠慮がちに話したり，あるいは早口でトチリまくるような話し方なども，その人を示す立派な特徴といえませんか？　引け目に感じたり，弱点ととらえたりする必要は，必ずしもないのです。

とはいえ，自分の話し方や声になんらかの問題意識を感じている人は確実にいます。そんな人たちに向けて，ここでは，悩み別にその克服方法を具体的に紹介していきます。悩みは，私がこれまでに実際に接した人の中で比較的多かったものをピックアップしました。話し方についてだけでなく，人前に立って話をする際の問題にも話を広げていきます。

2 悩み別　克服方法

Q.　声が小さくて，なかなか聞き取ってもらえません

A.　声は大きければいいというものではありません。自分らしさを失わないで

地声の大きさは簡単には変えられない

人前に出ても，それに見合った声の大きさを出せずに悩んでいる人は少なくありません。でもだからといって，単に声を大きくしろといわれても，それは性格を改造するようなもの。それでは，その人が本来もっている魅力や持ち味が失われてしまいかねません。また，そうした無理な発声をスピーチの最後まで続けるのは，至難の業でもあるでしょう。

たとえばアナウンサーにも，元気が売りの人もいれば，しっとりとした語り口に定評がある人もいます。無理に自分の声のボリュームを変える必要はない，ということをまずは理解してください。

小さい声でも抑揚とスピードに気をつければ伝わる

では，地声の小さい人はどうすればよいのでしょう？

実は，私自身，地声が大きいほうではありません。私が気をつけているポイントを紹介しましょう。

一つは抑揚です。抑揚とは，音声に高低をつけることによって生まれる起伏です。声の高低をいっぱいに使って話すと，一語一語すべてが音声として届かなくても，その高低の調子を手がかりにして相手はこちらの話の内容を無意識のうちに予測します。全体としてどんなことを話しているのかはおおよそ理解してもらえるのです。

そしてもう一つは，なるべくゆっくり話すこと。同じ声の大きさでも，早口で話すより，ゆっくりと，一語一語を区切って話したほうが，言葉が聞き取りやすくなります。

そして，無理に大きな声を出さないこと。「えっ？　地声が小さくて届かないことを悩んでいるのに？」とびっくりするかもしれませんね。でも，これは本当です。

響く声こそよく通る

地声の大きくない人が，大きい声を出そうとするとどんな様子になるか，ご存じですか？のどに力を入れて，つまりのどを締めて，声をふり絞ります。このような出し方をした声は，たしかに音量としては多少大きくなりますが，それでも，「よく聞こえるようになった」と言われるほどの違いにはなりません。それはなぜか。のどで出した声は，“通らない声”だからです。

みなさんの身近によく通る声の持ち主がいたら，その人がいったいどんなふうに声を出しているか，一度観察してみてください。決して，のどを締めるようにして声を張りあげてはいないはず。むしろ，楽に声を出していると思います。そしてその人の声は，よく響いているはずです。よく通る声は，よく響きます。

では，音量としては小さくても遠くの人にも聞こえる，そんな声を出すにはどうしたらよいでしょう。

まずは，のどや肩，腕の力を抜きましょう。決して力を入れてはいけません。だらーんと楽にしてください。そして，おなかから口まで，身体の中には一本道が通っているイメージをもってください。その感覚ができあがったら，おへその下あたりに力を入れて，ゆっくり「あー」と声を出してみましょう。のどのあたりや，口の中が微妙に震えてくすぐったくなったら，正解です！そのくすぐったさは，身体の中の一本道が共鳴管の役割をはたして響く声になっている証拠です。

これは，方法を教わったからといってすぐにできるようになるものでは，おそらくないでしょう。それでも，折にふれてぜひ試してみてください。のどを脱力して開く感覚さえつかめれば，あとは自然と腹から声が出てくるようになってきます。

Q.　説得力のある話し方ができない

A.　語尾の発声に気を配りましょう

大勢の前で話すときほど語尾に注意を

これは，口語表現Ⅰの授業で出会った多くの学生から実際に聞いた悩みです。話し方に説得力をもたせるためのポイントはいくつかあります。聞き手にこちらの意図をきちんと伝え，納得してもらうための口調というのがあるのです。

具体的には，「助詞を省略しない」「語尾まできちんと発音する」「言葉をダラダラつなげない。ワンセンテンスを短くして，接続詞でつないでいく」「口はタテ方向に大きく開けて話す」「声の高低で抑揚をつける」「間をおくことでメリハリをつける」といったことです。

なかでも強調したいのが，語尾の大切さです。

たとえばアナウンサーがニュースを読むときには，ふだんの会話では消えてしまいがちな「(〜で) す」(「(〜ま) す」「(し) た」という語尾まできちんと発音します。そうすることで，事実を正確に伝えられることに加え，明瞭できびきびとした印象を与えることもでき，人は自然と話に惹きつけられるのです。

また，たとえば政治家が演説するのを聞いていると，多くの人が語尾をしっかり発音することを意識しているのがわかります。「〜であります」という独特な語尾の言い回しなどは，そのあらわれといえるでしょう。政治家は，なんといっても話のわかりやすさ，そして説得力が命です。話し方に多くの神経を注いでいる人たちから，その極意を盗もうと観察してみると，やはり語尾の力強さに目がいきます。

語尾ははっきり，明瞭に，力強く。これは，おおいにまねてみるとよいでしょう。歯切れ，元気のよさ，そして訴える力が違ってきます。

語尾が話し方に“イロ”をつける

語尾にまつわる話をもう一つ。声優やナレーターとして幅広く活躍している私の先輩の女性は，実にさまざまな年代や性格の声色を操ることができます。その人によると，多くのキャラクターを演じ分けるそのコツの一つに，「語尾に変化をつける」ということがあるそうです。

たとえば，「こんにちは」という短いあいさつの言葉でも，語尾を変化させるだけでさまざまな色づけができます。「こんにちは（ぁ）」と，語尾を少し上げて，さらに脱力して声を抜くように出すと，年配の人が話しているように聞こえます。逆に，「こんにちは（っ）」と語尾の「わ」を，音を上げて強めに出すと，幼稚園児か小学校低学年の子どもが元気よくあいさつしているようです。また，滑舌よく，最後の「わ」まで同じ調子で発音すると，ニュースキャスターの「こんにちは。お昼のニュースです」というセリフのように聞こえます。

このように，プロは語尾を色づけすることによって，与えられた役をさまざまに演じ分けているのです。それほどに語尾は話し方の印象を左右する，ということですね。

Q.　人前で話すと，途中からグダグダになってしまう

A.　十分すぎるくらいに，準備に時間をかけましょう

プロはどう準備しているか

以前，私自身がテレビで商品をセールスする仕事のオーディションを受けた際の成功体験をお話ししましょう。クライアント側からは，前もって商品の概要を説明したものと，新聞と雑誌に掲載された商品記事を渡され，「これを使って，関係者の前で，商品を紹介してください」と言われました。

「これを使って」。この言葉を，私は，「渡された資料の内容を踏まえて」と解釈しました。内容を踏襲していれば，あとは表現や話の流れなどは自由にアレンジして話してよいのだと考えたのです。そして構想を練っているうちに，いただいた資料には載っていない情報も知りたくなり，クライアントのホームページを覗いて足りない要素を補いました。さらに，「ちょっと複雑だから，言葉で説明しただけでは伝わらないな」と思えてきたので，説明に使うフリップを手作りしてみました。

そして迎えたオーディション。その場にいあわせた候補者は 15 人くらいいたでしょうか。順番にデモンストレーションと簡単な面接が行われたのですが，なんと，小道具を用意し，内容をアレンジしてきたのは私だけ。あとの候補者はすべて，事前に渡された資料の内容を，そのまま話しているように読み，ときおりアドリブを交えながら話していました。それは「さすがしゃべりのプロ。うまいなぁ～」とライバルながら拍手を送りたくなるような素晴らしいトークでした。「まずい。これを使って，というのは，そのまんまの意味だったのか……」と，私は真っ青になりました。

数日後，所属事務所を通して結果が知らされました。選ばれたのは，なんと私。「商品および我が社を，短期間でよくあそこまで勉強して，準備してくれた。話の中に，我々が言ってほしいと思っていることがすべて入っていた」。クライアントのそんな選評付きでした。

この経験を通して思ったこと。それは「話し方や雰囲気が商品に添っているかどうかをチェックされるオーディションであっても，無策で臨んではダメ。自分なりに研究し，準備をすることはとても大切だ」ということです。

しゃべりのプロに対して「場当たりでよくあんなにスラスラ言葉が出てくるなぁ。そこがプロたるゆえんだな」といったイメージをもっている人は多いと思います。でも，実はそうでもないのです。こんなふうに時間をかけて準備をして本番に臨んでいるのは，決して私だけではありません。

Q.　人前に立つと緊張が止まらない
A.　第一声に全神経をかたむけましょう

プロだって緊張はする

結婚披露宴などのイベントでのスピーチで，「本日は……」という出だしの一言，特に「ほ」のところで，緊張のあまり声が裏返ってしまう人をときどき見かけます。

「ほ」がまるでニワトリが鳴いているような声で出てしまった経験のある人に話を聞いてみたことがあるのですが，この失敗のショックはかなり尾を引くようです。自己嫌悪に陥り，次に同じような機会があるときにも，また同じミスをやらかしてしまうのではないかというプレッシャーが重くのしかかり，そのためにどんどん緊張して，結果，またもやらかしてしまうのだとか。

私は，「アナウンサーさんて，本当にすごいですよね。大勢の前であんなに堂々と話せちゃうんだから。どうすれば緊張しないで話せるんですか？」などといった質問を受けることがよくあります。でも，どんなに場数を踏んでいる人やベテランのしゃべり手であっても，本番直前はやはり緊張するものです。ウソだと思ったら，たとえば結婚披露宴などで居合わせたときに，チャンスがあったら本番直前の司会者にお願いして手を握ってみてください。汗をかいているのにひんやりと冷たい。きっとそんな手をしていると思います。これは，緊張をしている証拠なのです。

緊張すると声は高くなる

では，緊張しても，それを悟られないように，落ち着いて堂々と話すにはどうすればよいのでしょう？

一つの方法として，これがあります。「第一声を，絶対に失敗しないように全神経を集中させる！」

出だしで失敗すると，モチベーションはまずそこで落ちます。そこから挽回するのは至難の業。なかなか緊張が解けずに，結局最後まで焦りを引きずってしまうことになります。

また，犯しがちな失敗としてよくあるのは，裏返りはしないまでも，自分のいつもの声の高さよりかなり高く出てしまうことです。緊張すると声が高くなってしまうのは，男性も女性も，プロもアマチュアもみな同じでしょう。

たとえば，司会者の第一声として多いのは，「みなさま，お待たせいたしました」というフレーズです。緊張して喉が絞まると，「みなさまーっ」と，テレビ番組のインタビューでよくある，音声処理をほどこして甲高くしたような，あんな声になって出てしまいます。つまり，ふだんの自分の声ではないのです。すると，よけいに緊張してどんどん身体がカタくなり，身体がカタくなるとさらに喉が絞まって，ニワトリが首を締め上げられたような悲痛な声になってしまい，またまたさらに焦りがつのり……。

このような緊張の連鎖にはまらないためには，「第一声をとにかく低く，低く出そう」と，自分に言い聞かせることが重要です。緊張したときほど，強くそれを意識するようにしましょう。私の経験では，そういう意識をもって初めて，ふだん通りのトーンで第一声を出すことができます。

出だしの一言さえ失敗しなければ，後はそのまま同じ調子で続けることができます。出だしはうまくいったのに，途中で突然声がひっくり返るなどという事態は，よほどのことがないかぎり起きないでしょう。

また，緊張して高い声になると，それに連動して話すスピードもとても速くなってしまいます。緊張と焦りのなせる業です。その反対に，低い声から入るように意識すると，テンポもおのずとゆっくりになります。低い声の早口，これはやろうとしてもなかなか難しいのです。

ぜひ低い声を出す意識で第一声を発してみてください。それが，いつもの自分らしい話し方につながるでしょう。

Q.　就活仕様の大人っぽい話し方を身につけたい
A.　口はタテに大きく開けましょう

ほうっておくと，口はヨコに開く

言葉遣いは正しくても，実際の年齢よりも幼く聞こえてしまう話し方があります。これは男性にも女性にもみられます。

日本人の口というのは，ヨコに開きがちで，タテには開きにくいのが特徴です。実は，幼く聞こえる話し方は，口がヨコ方向にばかり開いて話していることが多いのです。就活で，しっかりと面接の戦略をととのえたら，その内容にふさわしいしっかりした話し方をしたいものですね。

実は私自身，新人アナウンサーの頃，上司から「キミの口は典型的なヨコ開きだね」と言われました。そのせいで，ニュースを読んでも真実味がうすく，伝える力が不足しているのが悩みでした。

タテに開くようにするには

では，説得力のある年齢相応の話し方をするにはどうしたらよいか。それは，理論上は簡単です。口をタテに開ければよいのです。

まずは，練習を始める前に，自分のこれまでの口の開き方で「こんにちは」と言って，それを録音しておきましょう。そこから，練習のスタートです。「あ」「い」「え」「お」と発音してみます。

「あ」と発音するとき，口は縦長に開きますね。このとき，タテ方向に，より大きく口を開けることを意識します。目も一緒に大きく見開くと，自然と口も大きく開きますよ。「お」もこれと同様です。「い」や「え」を発音するときは，口は横長に開きます。特に「い」はヨコ方向にぐっと開くでしょう。それを，いつもの８割くらいでとめておきます。一口サイズのごく小さいシュークリームを口の中に入れた状態で「い」と発音する様子をイメージしてください。口はヨコいっぱいには開くことができず，少しタテ方向にも開くはずです。「え」はさらにタテに開くでしょう。

タテ方向にはいつもより大きく，ヨコ方向にはいつもより小さく。これを意識しながら「あ・え・い・う・え・お・あ・お」としばらく繰り返してみましょう。これはアナウンサーや役者さんなど，発話のプロがよく行う発声練習です。

そうして新しい口の開け方に慣れてきたら，また「こんにちは」と声に出して何度か言い，しっくりきたなと感じたら録音してみてください。初めの録音と聴き比べて，話し方が違って聞こえたら成功です。タテ開きのほうが，一語一語がはっきりとして，はきはきとした口調に聞こえるでしょう。

Q.　**好感度をあげたい。感じのいい話し方ができるようになりたい**

A.　**身だしなみをととのえましょう**

身だしなみの本来の意味

私がまず訴えたいのは，第一印象がいかに大事かということ。第一印象は，言い換えれば，身だしなみです。

「身だしなみ」という言葉を辞書で引いてみると，「容姿や服装，言葉遣い，態度などに対する心がけ」とあります。つまり，言葉遣いも，身だしなみに含まれるわけなのですが，ここで説明したいのは，見た目についてです。

たとえば，フリーアナウンサーが仕事を獲得するためには，多くの場合オーディションや面接を受けなければなりません。オーディションや面接では，たとえば，ノックをして部屋に入ったそのわずか一瞬で決まってしまう評価があります。「いい」か「ダメ」かです。パッと見て「ああ，ダメだな」と思われてしまったら，その後にたとえどんなに素晴らしいプレゼンができたとしても，その次の選考に残ることはまずありません。ましてや，最終的に選ばれることなどありえません。自分の本分である“しゃべり”の前に，当落がある程度決まってしまうのです。

オーディションや面接で第一印象のよくない人が，テレビ画面でいきなり感じがよく見えるはずはありませんよね。ですから，そんな候補者は，当然真っ先にはじかれるのです。

そのようなわけで，フリーアナウンサーは第一印象をよく見せること，つまり「あ，この子は感じがいいな」と思ってもらえるような“パッと見”をつくることが，しゃべりの技術を磨くのと同じくらい求められます。

ただし，誤解しないでいただきたいのですが，これは，なにも高価な仕立てのよいものを身につけろとか，いい化粧品を使えとか，エステに通えとか，そういう類（たぐい）の話ではありません。では，具体的にどうすればよいと思いますか？

アナウンサーに“クセがない”理由

それは，清潔感があり，文句をつけようにもとりあえずは見つからない，そんな外見をつくる，ということです。別の言葉を使って表現すれば，“クセのない見た目”とでもいえばよいでしょうか。

私は，新米アナウンサーの頃に，上司からこう言われたことがありました。「いたずらに特徴をつくるな。へんに特徴があると，視聴者の目はそこにいってしまうぞ」

たとえば，髪。「お辞儀をしたときに髪がバサっと落ちてくるのはダメ。ピンで留めるなり耳にかけるなりして，髪が落ちないようにしなさい。肩にかかる長さも同様にダメ。短くするか，まとめるかしなさい。フリップを指差すときなどにも，髪が肩のあたりで動かないように」そう教えられました。

理由は，だらしなく見えるからです。ほかにも理由があります。

お辞儀をして髪が顔にかかれば，頭を上げたとき，手でかきあげて元に戻さなくてはなりません。その動作が，視聴者にはとても気になることがあるのです。人によっては，「この人，何度も髪に手をやるわね」と思うかもしれません。すると，当のアナウンサーにはそのつもりがなくても，見ている人には何らかの意味をもつ動作として伝わってしまうのです。

「あ，この人また髪に手をやった。これで３度目だ」と，そのうち回数を数え始めてしまうかもしれません。そうなったら最後，その視聴者は気が散って，放送の内容など耳に入ってこなくなってしまいます。そのため上司からは，「余分な動きはできるだけしないこと。それを肝に銘じておけ」とも教えられました。そのほかたとえば，ピンマイクをつけて両手があいているときの手の動きについて，あるいは，ちょっと大きめのイヤリングをしたとき，髪をちょっと茶色くしたときなどにも，上司から注意がありました。

視聴者に，本題とは関係のない情報を送らないために，アナウンサーは動作の一つ一つに気をつけ，余計な動作は極力しないようにする。そのためには，その動きを引き起こす要因を，はじめから取り除くように心がけておかなければならないということです。髪をまとめておくのも，たんに見た目をさっぱりさせるだけでなく，視聴者の，放送の中身への集中を妨げないようにするため。そんな心配りのあらわれなのです。

インパクトは必要なし

このことは視聴者対アナウンサーというカメラを通してのことだけでなく，ふだん人とじかに会うときにも気をつけるべきでしょう。また，口語表現の演習を受けたり，就活を控えるみなさんにも，当てはまることだと思うのです。

外見上の特徴，それも会った瞬間に相手が「？」と感じるようなマイナスの特徴は，消したほうがよいですね。たとえば，女性の場合はメーク。身だしなみの一つとしてするのはよいことですが，かといって，やりすぎてもいけません。目ヂカラをアップさせようと目やまつ毛，眉毛のメークを念入りにして自分は満足しても，相手が同様に感じるとはかぎりません。あなたのまつ毛や眉毛の完璧さに目を奪われてしまったとしたら，相手の集中力はそこでそがれてしまいます。その時点で，もう話はきちんと正確に聞いてはもらえません。足りない部分を足す。メークはそれくらいがちょうどいいのです。

男性も外見には注意しないといけません。話している最中に落ちてきてかき上げるような髪は，スピーチあるいは公式の場では当然NGです。飛び出た鼻毛やヒゲの剃り残し，寝ぐせ，伸びすぎた眉毛なども，一対一で相対するようなときには，けっこう気になるものです。これらはみな，たんにだらしないという印象を与えるだけでなく，せっかく話を聞こうとしてくれている相手の集中力を奪ってしまいます。

せっかくいい話ができそうなのに，見た目でハンディを負ってしまうのはもったいない！ケチをつけられない身だしなみによって，相手は先入観のない新鮮な頭で，あなたの話を聞いてくれるのです。

3 おわりに

個性ってなに？

ここまで，自分の話し方やスピーチ，あるいは誰かと話をする際の悩みをクリアするための具体的な方策を，悩み別に解説してきました。これを参考にして，ぜひ自分が抱える悩みを自信に変えることに取り組んでみてください。口はタテに大きく開こう，第一声は慎重に低めに出そう，抑揚をつけて話そう……そういったことに注意を払って話すことに心をくだくのです。

これは一見すると自分自身に意識を向けているように思われますが，そうではありません。

ここでみなさんに改めて質問します。弱点を改善してよい話し手になりたいと思うのは，そもそもなぜですか？

それは，自分の考えや言いたいことを，聞き手にしっかり伝えたいからではないでしょうか。

思いをちゃんと届けたいという意識は，言い換えれば，聞き手と誠実に向き合おうとする態度です。つまり，よい話し手になりたいという思いは，聞き手を思う気持ちとイコールです。したがって，あなたの意識は内にではなく，外に向いているといえるのです。

目の前の人に心を集中させて，話す。これができれば，聞き手にとってあなたはよい話し手。小さな地声も，早口も，幼い口調も，きっとあなた自身が気にならなくなっていることでしょう。

私の解説が，みなさんの実益となり，また同時にエールにもなるよう願っています。

聞き手の心に響く声と話し方

梶谷久美子

❶ 声の響きとメッセージの伝わりやすさ

同じことを話しているのに，メッセージがとてもよく伝わってくる話し手とそうではない話し手がいます。このメッセージの伝わり方を左右する要因の一つに，声の「響き」があります。

❷ 声の響きは話し手が自分の骨を振動させて発した音（骨導音）

普段自分で自分の声だと思っていた声と録音したものが違っていたという経験があると思います。それは私たちは二つの経路で自分の声を聞いているからです。一つは肺から出た空気が声帯を震わせ，咽・口・鼻の中（気道）で共鳴して発せられた音を外耳・中耳を経て内耳で聞いている経路（気導）です。これが録音された自分の声です。もう一つは，空気が声帯を通過したときに生じる振動が，首や頭の骨を伝わって内耳に届く経路（骨導）です。自分で聞いている自分の声は気道と骨導で作られた音が合わさったものです。この骨導の振動音が声の響きの成分になります。この響きが声にどのくらい含まれているかによって，聞き手へのメッセージの伝わり方が変わります。

❸ 声の響きは聞き手の骨も振動させる

私たちは自分の声を聞いているときと同じように，周囲の音を骨導と気導の二つの経路で聞いています。オーケストラの演奏を聞いて，全身が震えるような心地よさを感じたことはありませんか。それは演奏された音が全身の骨を震わせて身体の中に入ってきたからです。私たちが発する声にも骨導の響きが伴われていると，そのメッセージは聞き手の骨を震わせて聞き手の身体の中に違和感なくすんなりと入っていきます。一方，響きのない声で話し続けると声がかすれたり喉が痛くなったりします。身体の骨を振動させて生じる響きが声に入っていないのは，身体が緊張して声帯に負荷をかけすぎているからです。そうした声は話している本人だけでなく聞き手をも緊張させてしまいます。声が聞き手の身体の中にすんなり入っていかないので，メッセージも伝わりにくくなってしまいます。

❹ 声の響きで聞き手はリラックスして心を開く

響きは，身体の力を抜いたときに出るため息や，人の話を聞いて心から納得したときに発するあいづちの「ふ〜ん」という身体に響く深い声に含まれています。身体が緩みリラックスして骨を震わせたときに生じる音です。骨導の響きだけを発すると，お寺の鐘の余韻のようなゆらぎのある音になります。誰にとっても心地よく，身体が緩んで心が落ち着いていくのを感じる音です。つまり，自分の声に響きを伴わせることで，自分と聞き手双方の心と身体をリラックスさせることができるのです。聞き手がリラックスして心を開いてくれれば，こちらのメッセージはより良く伝わるようになります。自分自身の骨を振動させることで相手の骨も振動させ，共振することで共感が生まれ心が通じ合うのです。

❺ 話し手の心拍のリズムに聞き手は共鳴する

骨導の響きに入っているゆらぎは，それを発した人の心拍のリズムです。健康な人の心拍のリズムには「1/f のゆらぎ」が含まれているといわれています。「1/f のゆらぎ」とは，小川のせせらぎや星の瞬き，ろうそくの炎の揺らめきなどにみられる自然界のリズムです。私たちの心拍や呼吸などの生体リズムにも「1/f のゆらぎ」があります。ですから，自然界の「1/f のゆらぎ」に触れると，身体がそのリズムに共鳴して心地よさを感じます。ストレスが溜まると，身体は緊張してこのゆらぎのリズムを失ってしまいます。そんなときに自然に触れると「癒されて元気になる」というのは，身体が自然界のリズムに共鳴して，本来もっている「1/f のゆらぎ」のリズムを取り戻すからなのです。声に「1/f のゆらぎ」があるという歌手や俳優さんは，「癒しの声の持ち主」としてよく話題にのぼります。彼らの声を聞くと，「心地よくていつまでも聴いていたい」「メッセージがすんなり入ってきて心に響く」と感じます。それは声に心拍のリズムを伴った響きがあり，聞き手の身体がそのリズムに共鳴するからです。話し手のハートビートを伴った声だからこそ，聞き手の心をつかむのでしょう。

❻ 自分の声を聴きながら話す

では，響きのある声で話すためにはどうしたらよいのでしょうか。まず姿勢を整えましょう。猫背になっていたり首が前に出すぎていると深い呼吸ができないので，胸と肩をゆったり開いてください。ただし，背中が反っていたり胸が緊張していても呼吸が浅くなってしまいます。ですから，背骨を反らさず胸の緊張も解いて深い呼吸ができるようにしましょう。深い呼吸ができると，身体が緩んで骨が震えるようになります。そうすると自分の声がよく聞こえるようになります。自分で聞いている自分の声には骨導の響きが含まれていますから，自分の声が聞こえているときは響きを伴った声で話していることになります。まとめると，胸と肩を開いて深い呼吸のできる姿勢をとり，身体をリラックスさせ，「自分の声を聴きながら話す」ことで声に響きが自然に伴うようになります。

❼ 息の流れを意識して聞き手に声を届ける

深い呼吸ができる姿勢で話していると，息も聞き手に向けて流れるようになります。呼吸が浅く息が前に出ないと独り言のような話し方になってしまい，声が聞き手に届きません。深い呼吸ができず身体が緩んでいないので声に響きも入りません。聞き手にしっかりメッセージを伝えようという意識をもち，聞き手に向けて息を流すようなイメージで話すと声が届くようになります。息の流れを意識することで声がこもってしまうこともなく，声の距離感を適切に保ちながら話せるようになります。

❽ 自分の声を聴いていないときは声が大きくなりすぎたり早口になる

私たちは興奮したり喧嘩しているときは自分の声を聴いていません。自分の声を聴いていないと音量調節がうまくできないので，耳障りな大声になってしまいます。怒りにまかせた怒鳴り声は相手が緊張して聞く耳を閉ざしてしまうので，こちらのメッセージは伝わりません。相手からすると「ああ，怖かった」という記憶が残っても「何を言われたか覚えていない」ということになってしまいます。緊張して早口になっているときも自分の声を聴いていません。私たちは緊張すると顎が上がりがちです。そうすると咽頭と骨導が離れてしまい，声帯の振動が骨に伝わりにくくなるため，自分の声が聞こえなくなってしまうのです。

❾ 自分の声を聴きながら話すとあがらずに話せるようになる

心と身体がリラックスしているときに初めて自分の声が聞こえるようになるわけですが，逆に「自分の声を聴きながら話す」ことで身体をリラックスさせ，心を落ち着かせることもできます。自分の声に含まれる心拍のリズムを感じると，本来の自分に立ち戻れて安心できるからです。そうした状態のときは，緊張で頭の中が真っ白になるということがありません。自分が何をどのように話しているのかを把握することができ，自分の話し方を調整できるようになるので早口も治ります。自分の発する言葉に注意深くなるため，発音も明瞭になります。声に響きが入ると声に明るさが加わり，声質も柔らかくなります。響きは遠くへ届くので，声の通りも良くなります。

❿ 自分の声の最初の聞き手は自分自身

骨導を伝わる自分の声は，気導から伝わる自分の声よりもほんのわずか速く内耳に届きます。ということは，自分の声の最初の聞き手は自分自身なのです。「自分の声を聴きながら話す」ことでメッセージがより良く相手に伝えられるのですから，「良い話し手」になるためには，まず「良い聴き手」になることが必要だということです。

⓫ 自分の本当の声で話す

声に良し悪しはありません。しかし自分の声が好きではないという話をよく耳にします。「滑舌が悪い」「声の通りが悪い」「声が低くてこもっているからよく聞き返されてしまう」などが主な理由だそうです。そのようなときは身体と呼吸を整えて，自分の声を聴きながら話してみてください。発音が明瞭になり，相手にきちんとメッセージが届き，声に明るさと柔らかさが加わります。余分な力が入っていないナチュラルな身体と心の状態から発せられた声がその人の「本当の声」です。誰もが自分の身体を上手に使うことで，響きを伴った「自分の本当の声」に出会うことができます。

話すときも歌うときも朗読するときも，心拍のリズムを伴った声に表情や抑揚をつけていくとその人らしい表現ができるようになります。その人の基本のリズムである心拍を伴っていないパフォーマンスはわざとらしいものになってしまいます。話し手が「自分の本当の声」で話し，話し手の心拍を感じたときに聞き手は心を動かされます。口先だけで話すのではなく，自分の声を聴き，自分の骨を震わせて身体を通して発したメッセージには説得力があり，聞き手の心をつかみます。

＜参考＞

「The ear and the voice」Alfred A. Tomatis,（1988），The Scarecrow Press, Inc.
「耳と聲の講座」主催：トマティスリスニングセンター東京

ステップ アップ

言い換えのトレーニング　日本語道場

古谷知子

テレビ，コンビニ，ワイファイ，フェス，キャンペーン……。あなたはお馴染みの言葉を，カタカナを使わずに説明するとしたらどのように言いますか？　たとえばテレビなら，電波を使って映像を見る電化製品。バナナなら，暖かい地域で栽培される黄色い皮に包まれた白い実の果物，などと言い換えることができますが，カタカナが使えないのはちょっと頭を使いますよね。

スピーチにおいて言い換えのバリエーションをもつことは，語彙力が増え，相手に合わせた説明をすることが期待できます。たとえば，好きなもの紹介スピーチで，地元の郷土料理をクラスメイトに説明するとき，思い出・体験スピーチで運動会の存在しない留学生に運動会や仕組みを説明するときなどです。また，みなさんが外国語を話すとき，その単語が出てこないばかりに話が進まず怖気づいてしまうこともあるでしょう。別の表現に言い換えることができれば，話は充分通じます。言い換えるということは，ものごとの本質を知らないとなかなかうまく説明できません。そこへ，「カタカナを使わない」という制限をあえて設けることで，より説明する力を鍛えることができるのです。ここではお出かけ先でも簡単に楽しくできる言い換えのトレーニングを二つ紹介します。

カタカナ禁止！　日本語道場　レストラン編

レストランでできるトレーニングです。必要なものはメニューのみ。

❶ ファミリーレストランのような洋食が充実している飲食店で，メニューを各自持ったら，対面式で座る。

❷ 各自カタカナの名前のついたフードを選ぶ。

❸ 一人がカタカナを言わずに自分の選んだフードを説明する。もう一人は，その説明を受けて，どのフードを説明しているかを自分のメニューから言い当てる。

ステップアップ

ステップアップ ポイント

- ▶ジェスチャーを使わずに，言葉だけで説明しましょう。
- ▶メニューのページを相手に見られないようにしましょう。
- ▶制限時間を設けると盛り上がります。
- ▶国名が出るときは，カタカナＮＧです。アメリカなら米国と言いましょう。
- ▶注文が済んだ後の，料理が来るまでのスキマ時間に行いましょう。店員さんに当てててもらう時間はありません。
- ▶チーム対抗戦にして勝ったら，相手のフードを一口もらいましょう。

※このゲームは一人でもできます。応用編として，和製英語，音楽バンド，アイドルグループ，スポーツの専門用語，流行語などでもやってみてください。

カタカナ禁止！　日本語道場　車内広告チャレンジ編

「レストラン」で慣れてきたら，電車の車内広告にもチャレンジしよう！　コンプライアンス，カリスマ，クリティカル，ドローン，Ｖチューバー……。あなたはどう説明しますか？　週刊誌やビジネス系雑誌の広告は時事ネタを扱っているので，柔らかい説明が求められるときにこの言い換えは使えます。

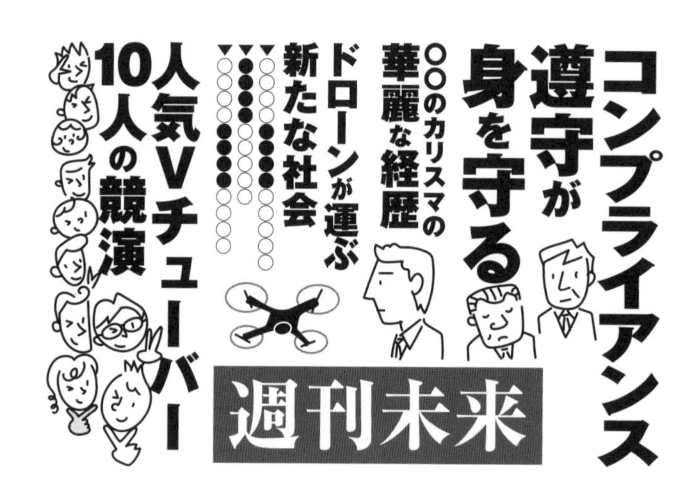

コミュニケーション ——人から話や意見を聞き出すスキル

新木睦子

1 「聞き出す」＝　コミュニケーションのリードを握る

あなたは話すのが好きですか。それとも，話を聞くことが好きでしょうか。聞くほうが好き，あるいは性に合っていると感じた方は，少し人見知りでそれを欠点だと思っていませんか。でも，「きく」ことが得意だと，コミュニケーションの主導権を握れるのです。ここでの「きく」は，耳を傾けてじっと好意的に聞くという，いわゆる傾聴ではなく，質問する「きく（訊く）」です。「聞き出す」あるいは「インタビュー」というほうがわかりやすいでしょうか。

たとえばこんなシーンを思い浮かべてください。あなたは帽子屋さんの店員としてアルバイトをしています。店長から今月の強化商品であるキャップを，積極的に販売するようにと指示がありました。あなたは来店したお客様に，次々とこの帽子の良さをアピールしますが，まったく売れません。

考えてみれば，帽子に求めるニーズはさまざまです。そこで，今度は来店したお客様に話を聞くことにしました。入店したのは，落ち着いた雰囲気のある60代の女性です。探している商品について尋ねたところ，旅行用に折りたためるつばの広い帽子を物色中だということがわかりました。さらに話を聞いてみると，できれば若々しく見えるほうがよいという希望ももっていることがわかりました。これらのニーズ情報を得て，はじめて買ってもらえそうな商品がわかり，売り上げにつなげられるのです。

つまり，売りたいもの≠売れるものです。コミュニケーションに話を戻せば，伝える≠伝わるであり，聞きたい話でなければ相手に届きません。矢を射る的を確認せず，やみくもに矢を放っても的に当たらないのです。

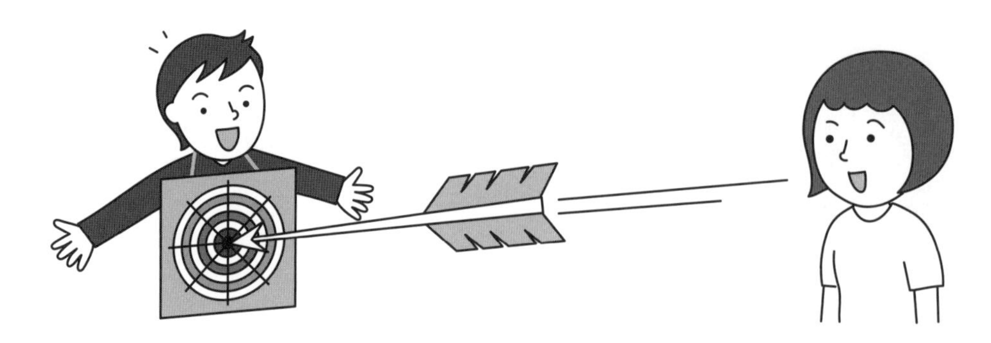

「相手のニーズを知り，どのようにすればこちらの気持ちや考えが伝わるのかが的確にわかるので，「聞き出す」ことでコミュニケーションの主導権を握ることができるのです。

2 「聞き出す」にはマナーが大事

聞き出すことは簡単ではありません。話し手が話を続けるのは嫌だと感じないように，配慮も必要です。聞き出す内容のクオリティを上げるポイントは，同時に話し手への気持ちや立場を慮（おもんぱか）るエチケットやマナーでもあるのです。

ここからは聞き出すことに関するエチケットやマナーを，ビフォアー・アフター形式で示しますので，その差を感じ取ってみましょう。

パターン1 〈希望を一方的に言っていては，物事がうまくいかない〉

大学対抗の試合のハーフタイムで，部長が部員に話しかけているシーンです。

Before

A：鈴木，今日はどうした，お前らしくないぞ。今日はちっともシュートが決まらないな。少し弛んでいるんじゃないか。
B：はぁ……。すみません。
A：後半はしっかり頑張ってくれないと困るよ，チームの足を引っ張るんじゃ，お前も嫌だろ。
B：はぁ。部長，あのー。
A：なんだ。何か反論でもあるのか。
B：いえ，すみません。
A：とにかく，鈴木が頑張ってくれないと困るんだよ。いいね，頼んだよ。
B：はい。（沈んだ声で）

鈴木さんは，会話が終了した後も沈んだ声の様子です。部長は，鈴木さんが何か言いかけたのにもかかわらず，話の腰を折るようにして耳を傾けませんでした。これでは期待通りに鈴木さんが活躍できるでしょうか。一方的に自分の希望を伝えるだけでは，相手は動いてくれません。それでは，その点を改善してみましょう。

After

A：鈴木，今日はどうした，お前らしくないぞ。今日はちっともシュートが決まらないな。どうかしたのかい。
B：はぁ……。すみません。
A：もしかして，足を痛めたんじゃないか。
B：はい。実は試合開始直後に向こうの選手と接触したときに，右足をひねったようで……。
A：それは大変だ。すぐアイシングをしてもらおう。このまま試合に出ても大丈夫かどうか，少し様子を見たほうがいいな。
B：はい，大事な試合なのにすみません。
A：何言ってるんだ。鈴木は大事な選手だからな。気にするな。来月にはもっと大事な試合があるから，そのときには大いに活躍してほしいんだ。
B：ありがとうございます！　部長！

今度は，部長が鈴木さんに「どうかしたのかい」と聞いていました。様子を聞き出すことで，問題が気の緩みなどではないことがわかりました。相手の様子や気持ちを知ることは，独りよがりにならないためのマナーであり，コミュニケーションの基本です。良い人間関係を築くためには，まずは相手の気持ちや考えを聞き出す姿勢を大切にしましょう。

パターン２　〈尋問調ばかり。相手は気持ちも口も重くなるよ〉

モニター会議で，メーカー側が消費者モニターに商品の感想を聞くシーンです。

Before

A：なぜ，このシャンプーを買わなかったのですか。
B：えっと，買わなかった理由ですよね。強いていうと香りですかね……。
A：なぜこの香りではいけなかったのですか。
B：いや，いけないというところまではいかないんですけど，うーん，パッケージもあるかな……。
A：どうしてこのパッケージはいけないのですか。
B：どうしてって……。

このシーンでは「なぜ」や「どうして」という言葉が続いています。聞きたいことを直接的表現で質問していますね。なぜ，どうしてと連続して聞いているので，まるで尋問を受けているようで，答えるほうもだんだん気持ちが重くなり，口も重くなっているようです。それでは，その点を改善してみましょう。

After

A：なぜ，このシャンプーを買わなかったのですか。
B：えっと，買わなかった理由ですよね。強いていうと香りですかね……。
A：この香りがあまりお好みではなかったのですねー。
B：はい。でも，もちろんこの香りが嫌いというところまではいかないんですけどね。パッケージも悪いとまでは思わないんですけど，手にとるところまでいかなかったというか。
A：なるほど，香りもパッケージも可もなく不可もなくといった感じなのでしょうか。
B：そうなんですよ。私にとって買うまでにはいたらなかったということなんです。

今度は，はじめこそ「なぜ」という疑問の言葉で始まっていますが，その後は，相手の言葉を受けて「お好みではなかったのですね」や「可もなく不可もなくといった感じなのでしょうか」と，確認や念押しの言葉を使っています。こうした表現でも先ほどの「なぜ」「どうして」という直接的な質問とほぼ同じ答えを導き出すことができています。尋問調ばかりだと，相手が心を閉ざす可能性もありますので，質問のスタイルをこんなふうに工夫してみて下さい。相手に余計なストレスを与えないというのもコミュニケーションのマナーです。相手に気持ちよく話してもらったほうが，必要な情報を得られますよ。

パターン3 〈急に答えを求められても……これから考えようと思ったのに〉

学園祭の出し物を話し合う部活の会議でのシーンです。

Before

A：それでは，今年の学園祭の出し物を決めたいと思います。山田君，今年の出し物としてふさわしいのは何ですか。
B：えっ，僕ですか。今年の出し物……ですよね。
A：そうです。今年の出し物にふさわしいものは何でしょうか。
B：えっとー，そうですね，えー。
A：何でしょうか。

山田君は学園祭準備の会議の冒頭で結論を求められ，戸惑っています。これは会議の場面ですが，日常会話でもそのような経験がないでしょうか。昔のことで忘れかけていることや，考えていなかったことなどは，急に質問しても期待した答えは出てきません。それではその点を改善してみましょう。

After

A：それでは，今年の学園祭の出し物を決めたいと思います。山田君，去年の学祭には参加しましたよね。
B：去年ですか，はい，参加しました。焼きそばの屋台を出したんでしたよね。
A：そうですよね。寒い日だったせいか温かいものにしたことで売り上げもよかったし，簡単に作れたという声もありました。
B：そうでしたそうでした。あんまり難しいと，たとえばたこ焼きみたいなものだと，コツをつかむまでに時間がかかるんですよね。だから今度も，交替で作ってもさまになるものがいいかもしれませんね。そういえば，屋台は山本さんがイベントのアルバイトをしているので詳しいみたいですよ。
A：そうですか。それでは山本さん，どうでしょうか，誰でも簡単にできるもので，できれば温かいものというと他に何か浮かびますか。

今度は，良い話し合いが続きそうですね。相手が答えを用意していないことが想定されるなら，リードしたりフォローしたりすることが，相手の考えを引き出すことにつながります。質問の答えを相手が用意しているとは限らないことを念頭において，時には一緒に思い出したり考えたりする手順を踏んだ質問から入ると，相手もストレスなくスムーズなやりとりができます。唐突な質問をして相手を戸惑わせないのも，コミュニケーションのマナーの一つです。

パターン4　〈聞きたい答えが出てこなかったからといって，同じ質問は失礼だよ〉

お店のスタッフとお客様が新サービスについて話しているシーンです。

Before

A：新サービスの一番のメリットは何ですか。
B：はい。新サービスは今週日曜日までに契約して下さった方が対象の限定的なものなんです。
A：で，新サービスの一番のメリットは何ですか。
B：はい。夜間使用者割引というものを試験的に期間限定でというものなんです。
A：だから……（ためいき混じりで）新サービスの一番のメリットは何なんですか。
B：はい。条件を満たした方にとっては，使用料金がお安くなるということです。（戸惑いながら）

丁寧な答えが返ってきているのに，質問をしているほうはイライラが募っているようです。相手が的確に答えていないと感じて，それが口調に出てますね。でも，これって質問をするほうにも問題があります。自分が期待した答えを聞けなかったからといって，もう一度すっかり同じ質問をしていますが，これには答えているほうは良い気持ちはしません。少し聞き方を変えることがマナーなのです。それではその点を改善してみましょう。

After

A：新サービスの一番のメリットは何ですか。
B：はい。新サービスは今週日曜日までに契約して下さった方が対象の限定的なものなんです。
A：そうなんですか。対象者が限られてるんですね。
B：はい。夜間使用者割引というものを，試験的に期間限定でというものなんです。
A：限定サービスということですから，料金がお得になったりするんでしょうか。
B：はい。条件を満たした方にとっては，使用料金がお安くなるということです。

今度はスムーズに会話が進んでいますね。聞きたいことの答えが返ってこないと，同じ質問を重ねてしまいがちですが，同じ聞き方をされると「私の答えが的外れだったのかな」と感じてしまうでしょうし，人によっては「私の答えが不十分と指摘しているようで不愉快」と感じる場合もあります。ですから，同じ質問を繰り返すのはマナーに反するくらいの気持ちでいたほうがよいのです。質問の表現方法を変えても，いくらでも聞きたい答えを導き出せるのですから。少し考えて工夫しての会話の必要がありますが，すっかり同じ質問は繰り返さないほうがよいということは，頭の隅に入れておいてください。

このほかにも，聞き出すときに留意したいマナーは，次のようなものがあります。

① 必要に応じて，相手に聞く目的を伝える→なぜ，こんなことを聞いてくるのだろうと不信感を抱かせないために。
② アイコンタクトやあいづちを心がける。→あなたの話に興味をもっているというサインを送り，話しやすい雰囲気を出すために。
③ 一問一答で終わらせず，必要な点は質問を深める。→話のツボ（ポイント部分）を深めて聞くことで，話し手の満足感が増す。

以上のように，聞き出すことは話すこと以上にマナーが必要です。なぜならば，相手の気持ちや考えを聞き出すことは，相手の心にも踏み込む面もあるからです。

若い皆さんはこの点に気づいていて，必要以上に気を遣い遠慮をし，聞き出す必要性がある場合でもできるだけ避けている人もいるかもしれませんね。

でも，「きく」ことは話すことと同じかそれ以上に，人間関係を豊かにするものです。話したり聞いたり他の人との関わりをもつ中で，お互いに理解を深めることができます。話すことと同じように，「きく」ことも特別な才能や素質などは必要ありません。いくつかのポイントを確認できたら，気楽に日常で試してみることです。自信がないからと委縮することなく，聞き方を工夫して，気持ちよくコミュニケーションをとりましょう。

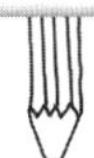

トレーニング・・・1

尋問調の連続を避けるため，別の聞き方をしてみましょう。

シャンプーメーカーの消費者モニター会議で，メーカー側の立場から消費者へ質問。

「なぜそれを買わなかったのですか。」→

「＿＿＿＿＿＿＿＿＿＿＿＿＿＿＿＿＿＿＿＿＿＿＿＿＿＿＿＿＿＿＿＿＿＿」

回答例

「よく買う別の商品には，お気に入りポイントがあるのでしょうね。」

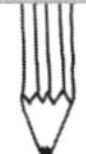

トレーニング・・・2

聞きたい点についての答えがない場合，質問を変えて聞いてみましょう。

携帯電話の新料金プランについて，消費者の立場から携帯電話代理店へ質問。

「何が新しい料金プランのメリットですか。」→

「＿＿＿＿＿＿＿＿＿＿＿＿＿＿＿＿＿＿＿＿＿＿＿＿＿＿＿＿＿＿＿＿＿＿」

回答例

「新しい料金プランの一番の人気ポイントはどの点でしょうか。」

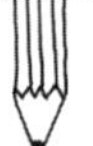

トレーニング・・・3

記憶が曖昧，または答えを用意しているわけではないことが想定できる場合は，すぐに答えられるような単純な質問を皮切りに，相手をリード，サポートしながら聞いてみましょう。

小学校時代の国語の授業について，教育実習を前に参考にしようとクラスメイトに質問。

「小学校時代の国語の授業はどうだったかな。」→

「＿＿＿＿＿＿＿＿＿＿＿＿＿＿＿＿＿＿＿＿＿＿＿＿＿＿＿＿＿＿」

回答例

「小学校時代の国語の授業では，音読をたくさんしたのかな。」

話し上手は聴き上手

大輪香菊

「どうしたらうまく話せるようになりますか？」と訊かれたら，「“ 聴き上手になること ”が近道ですよ」と答えます。なぜ話し上手になるためには，まず聴き上手になることが近道なのでしょうか。

皆さんが友達と話すとき，「なんか，あの子と話すと話しやすくて余計なことまで話しちゃうんだよね～」とか「あいつとは話が盛り上がらないんだよなあ」と感じることがありませんか。この違いはどこからくるのでしょうか。

以前，私が A さんを友人に紹介したときのことです。B さんは「A さんって大人しい人だね。」と言いました。別の日に C さんにも紹介しました。すると C さんは「A さんはよくしゃべるおもしろい人だね～！」と言ったのです。同じ A さんなのに正反対の感想だったので驚きました。どうしてなのでしょうか？

実は聴き手によって，「話しやすさ」がまったく違ってしまうのです。

口語表現の授業で，こんなワークをしています。学生にペアで話し手と聴き手になってもらいます。そして片方の人に「思いっきり嫌な聴き手になってください」というのです。すると，相手の顔を見ないでスマホをいじっている人，あいづちを打たない人，話の主導権を奪って勝手に話し始める人など，さまざまなタイプの嫌な聴き手が現れます。

話し手が一生懸命話しかけても相手がそのような反応だと，話が続きません。だんだん自信なさげに声が小さくなってしまったり，「え～っと，なんだっけ？」など話すことがスムーズ

に出なくなってしまったりするのです。話し手に感想を聞くと，一様に「話しにくかった～」と言います。

そこで，次に「お手本のような良い聴き手になってください」と言うと，皆さん先ほどとは正反対の聴き手となり，話し手の声も力強く，明るい声に変化します。話がはずんで，あちこちから笑い声も聞こえてきます。このように，うまく話すためには聴き手の協力が大事なのです。

良い聴き手のポイント

❶ アイコンタクトを取ろう

相手と目が合うと話しやすくなります。もし相手がずっと下を向いていたら，「この話に興味がないんだな」と思いますよね。メモを取るときでも，時々顔を上げて，話し手の顔を見るようにしましょう。

❷ 適度にあいづちを打とう

あいづちは“聴いてるよ”という合図です。以前，ラジオの番組を担当していたときのことです。生放送で電話インタビューをしていました。あらかじめ台本があるので，相手が話している間はなるべく邪魔をしないようにあいづちを打たずに聞いていました。すると途中で「もしもし？　聞こえてますか？」と聞き返されてしまったのです。やはり，会話には適度なあいづちが必要で，あまり静かだと話しづらくなってしまうのだと思いました。

❸ 表情を柔らかくしよう

表情はとても大切です。スピーチをするために前に立ったとき，無表情な人や，眉間にしわを寄せている人がいたら……どんなにベテランのアナウンサーだって緊張してしまいます。また，ゲラゲラと笑う必要はありませんが，少し口角をあげて笑顔になることで相手が話しやすい，柔らかい雰囲気を作ることができます。

❹ 態度に気をつけよう

「身体がそっぽを向いている」「関係ないことをしている」，もちろん「あくびをする」などはしてはいけない「キホン」の「キ」ですね。でも親しくなればなるほどしてしまいがちです。ついついスマホいじっていませんか？

スピーチが成功するかどうかは，聴き上手な人が会場にどのくらいいるかどうかに左右されます。みなさんも話し上手を目指して，聴き上手になりましょう。

11章 面接
──自信を持って臨むために

斉木かおり

口語表現の授業を通して，人前で苦手意識をもたずに話せるだけではなく，聞き手に正確な情報を伝えることや相手を説得するスピーチ力を身につけてきました。特に5回目のスピーチでは，志望理由・学生生活での経験・自己PRと面接に直結する内容を行いました。口語表現で学んだスピーチスキルは，語彙力をつけることでよりわかりやすい表現につながり，さらに構成を変えるなどひと工夫することで，就職活動の面接に活かすことができます。

1 言葉の選び方

大学生の就職活動の面接で企業が学生に求めることは，主体性，協調性，チャレンジ精神，コミュニケーション能力など，さまざまな項目があげられます。その中でも15年以上連続して一番に求められているのがコミュニケーション能力です。では，企業が求めているコミュニケーション能力とはどんな能力なのでしょう。コミュニケーション能力と聞いてすぐ頭に浮かぶのは，人前でも堂々と話ができたり集団の中で司会をしてその場を仕切れる，そんなかっこいい能力だと思われがちです。でも，就職活動の面接で必要とされるコミュニケーション能力というのは，きちんと自分の思いを正確に伝えられるか，また相手の話をしっかり聞いて理解できるか，こんな基本的な能力が必要とされているのです。

一見簡単なことのように思われますが，どうしたらこのコミュニケーション能力を身につけることができるのでしょう。実はちょっとした言葉の選び方や話のまとめ方を学ぶことで，飛躍的に上達することができます。

2 相手の言葉を意識しましょう

面接官（社会人）と学生（自分）の間にあるギャップを知る

学生と社会人では，生活行動様式が違います。学生にとって面接官は全員自分より年上であり，さらには社会経験を積んだビジネスマンです。両者の間に普段から見聞きしている情報に大きな差があることを意識しましょう。当たり前のように使っている短縮言葉や学生にとっての常識が通用しないことが多いのです。話し手は，相手の知らない知識を共有していることを前提に話を進めてしまいがちです。そのことに気がつかないで面接を進めてしまうと，いくら丁寧に話しているつもりでも，相手にうまく伝わらないのです。そして「コミュニケーション能力がない」と判断されてしまいます。各々の経験の差によって，伝わる言葉，伝わらない言葉があります。私たちは人と話すとき，自分が話した内容は自分が思った通りに相手に伝わると思っていないでしょうか。面接でいう上手に話すということは「成果を出す」ことです。ここで大切なポイントは，その「成果」を決めるのは話し手にあるのではなく，聞き手である面接官にあるのです。では，面接官に自分の思っているように受け取られるために気をつける点を考えてみましょう。「相手も当然わかっているはず」の思い込みは特に要注意です。自分では敬語に注意してきちんと話したつもりでも，こんな表現を使って会話をしていませんか。以下の例文で思い当たることがありませんか。

（1）「家電製品や家事用品など御社の製品は**すっごく**便利で，小さい頃から今に至っても**やっぱり**素晴らしいと感じておりました。**私的には**これが，一番役に立つと思っています。」

⇒いらない「っ」が必要以上に入っています。思いを強く伝えたいがためについつい使ってしまいがちです。強調するために一箇所程度使うのは構いませんが，使いすぎると落ち着きがなく稚拙な印象を与えてしまうので注意しましょう。

⇒「私的には」「自分的には」この言葉遣いもよく会話の中で使われる表現です。これも誤った表現です。一人称に「～的に」という言葉をつけることで，自分という主体性をぼかす効果があります。断言を避けたいことが多いのでしょうか。普段からよく耳にする言い回しとして定着しています。また「他の人は知りませんが，あえて自分の意見を言うのだったら……」という強い思いを込めるためにもよく使われています。しかし面接の場では，「そんな日本語はおかしい」「周りの人に気を遣って自信がないの？」と思われてしまいかねない表現です。「私としては」「私は……」と言い換えましょう。

（2）「御社の商品は，有名人のブログでよく見られる**じゃないですか**。実際に購入して使ってみると**普通にすごく**感動しました。」

⇒「～じゃないですか」親しい間柄でもないのに相手が当然知っているという前提での表現は要注意です。テレビでタレントさんがよく使っている影響でしょうか，若い世代で頻繁に使われている表現です。

⇒「普通にすごい」これも「一般的，通常は」といった意味の「普通」をちょっとこじらせた若者特有の表現です。主体性を少しぼかすニュアンスの婉曲的な言葉ともいえそうですね。他にも「普通に驚いた」「普通に感動した」などと使われるケースがあります。この場合は「誰もが感動するくらい，心が動かされた」と言い換えることができます。自分一人だけでなくたぶんみんなもそう感じるから「普通」であり，転じて「間違いなく」「当然」というニュアンスになるのです。これも砕けた若い世代特有の口語的な表現なので，面接のような改まった場では使わないほうがよいでしょう。

（3）「私は○○大学の○○です。専攻のほうはドイツ文学で，サークルのほうはテニス同好会に入っています。一応アメリカに一年留学していました。」

⇒「〜のほう」は方角を指し示すときや2方向のうちのどちらか一方を選んだときに使う言葉です。この例の場合は「ほう」を言わずに「専攻はドイツ文学で，サークルはテニス同好会に入っています。」と簡潔に述べて文章をすっきりさせましょう。また，「一応〜です。」「一応〜できます。」という表現も若者の間でよく使われています。「念のため」という本来の意味ではなく，謙遜の意味合いで「一応」という言葉を使っているのです。「一応」をつけることで「完璧ではないけれど……なんとか」「あまり期待しないでね」といった予防線を張ることができます。しかし，自分をアピールしなくてはいけない面接の場で，こんな自信のない表現を使ってはもったいないですね。

（4）「わからないときはすぐにググって，しっかり覚えるようにしています。」

⇒ SNSなどを頻繁に利用する人が気をつけたいのが，ネットスラングと呼ばれる俗語を当たり前に使ってしまうことです。「ググる，バズる，ば（映）える」などネット上で使われる言葉は，学生同士の普段の会話で使われるだけではなく，書籍の中でも読み手の意識が入りやすいように活字媒体としても使われることが増えています。この場合は，「ググって」ではなく「インターネットで調べて」と言い換えましょう。また，ネットスラングと類似で注意してほしいのが，横文字を多用することです。「私がイニシアチブをとらせてもらっている……」「これがワンチャンいけると思って臨みました。」など，これらもゲームの世界や世の中に浸透している言葉かもしれませんが，多用するのは避けたいものです。確かに横文字でも日本語と同じように使われる言葉はたくさんあり，判断が難しいためすべてを日本語に言い換えることはできません。しかし，誰にとっても理解しやすい言葉を選ぶ，ということを念頭において話すように意識すると，横文字の多様は防げるのではないでしょうか。

面接でまさかそんな言葉をと思うかもしれませんが，面接官が場の雰囲気を和ませてくれたときに，緊張からフッと気が緩んで普段使っている言葉が出てしまうという人は意外と多いものです。今まであげた例文での言葉は，たとえ世間で浸透している言葉であっても，面接の場ではふさわしくないと考える人がほとんどです。面接官と学生の間には世代の隔たりがあり，その世代と20代の若者の言葉遣いは当然同じではありません。特に普段，同世代以外と話す機会のない人はこの視点が欠けてしまっています。面接に適した言葉，言い回しであるかをじっくり考えてみましょう。

対策

★アルバイト先や先生，親戚など，年上の世代と話をする機会をもちましょう。

★常にアンテナをはって情報収集をしよう！

抽象的な表現より具体的な表現を使いましょう

描写力やキャッチコピーで印象に残る

たとえば面接で学生時代での活動を聞かれたときに「いろいろな経験をしました。」「さまざまな活動を通して学びました。」こんなふうに答えたことはありませんか。面接ではとっさに「いろいろ～してきました」と言ってしまいがちですが，この「いろいろ，さまざま」という表現も注意が必要です。もちろん間違った表現ではありませんが，このような受け答えでは，あまりにも抽象的で面接官には何の印象も残りません。ある程度面接の質問を想定することで，常に具体的に答えられるようになりましょう。特に自分の実績や経験を説明するときには，面接官が内容をすぐイメージできるように，なるべく具体的に伝えることを心がけてください。では，次にあげる例文をみてください。

例１　自己 PR でアルバイトの話をする場合

「私は野球場で飲み物の販売をしています。大勢のバイトがいますが，たくさんの人にいろいろな飲み物を売り上げたので表彰されました。」 ⇒ 「私は，野球場で飲み物の販売をしています。150 人ものバイトの学生がいますが，１日でビール 156 杯，ジュース 99 杯を売り上げて，売上ナンバーワンとして表彰されました。」

「大勢の」を「150 人ものバイトの学生」に，また「たくさん，いろいろ」を「ビール 156 杯，ジュース 99 杯」，「表彰されました」を「売上ナンバーワンとして表彰されました。」と具体的に数値や名称をつけて言い換えるだけで，ぐっとインパクトが強くなりました。

例２　自己 PR で英語能力を伝える場合

「大学３年間，一生懸命勉強して TOEIC で 750 点をとりました。」 ⇒ 「１年生のときは 570 点だった TOEIC ですが，毎日欠かさず１時間こつこつ勉強して，大学３年生の現在 750 点を取れるようになりました。」

「毎日欠かさず１時間」これも具体的に数値を入れることでより努力の跡が伝わります。さらに「１年生のときは 570 点」が「大学３年生で 750 点」と具体的に説明したことで，インパクトだけでなく，「570点」から「750点」へのギャップで努力の跡を伝えることに成功でき，二重に強く印象を与えることができます。

例3　規模（どれくらい）を伝えたい場合

「すごく広い敷地の中に古い校舎が建っていて素晴らしい景色でした。」⇒「東京ドーム3個分はありそうな広い敷地の中に時代を感じさせる古い校舎が建っていて，それは今までの人生で見たこともないくらい素晴らしい景色でした。」

人によってものごとに対する尺度は違います。「すごく」を「東京ドーム3個分」と誰もがわかるもので指し示すことで，いかに広いかをより正確に聞き手に理解してもらうことができます。「古い校舎」を「時代を感じさせる」と言葉をそえるだけで，長い歴史，時代の重みを感じさせる校舎だという，聞き手に想像力をかき立てることができます。また「今までの人生で見たこともないくらい」と言葉を増やすと，人生で最高の景色というわけですから，いかにその景色が素晴らしかったかが容易に伝わりますね。

こんなふうに，抽象的な表現をやめて数値やたとえを入れて具体的に伝えることで，面接官は学生が伝えたかった内容を正確に理解できるのです。また，「こつこつ」といったオノマトペ（擬態語や擬音語）を使うことで，より描写力が上がり，当時の様子や状態が詳細に伝わってきます。相手の想像力をかき立てて自分と同じものをイメージしてもらうには，描写力を使って話をする，この点を意識すれば面接で相手に印象深く伝えることができるのです。そのために言葉を増やすトレーニングをして，具体的でインパクトのある表現を身につけておきましょう。

例1

「私の強みは，リーダーシップがあることです。」 ⇒「100人の学生を導いていけるリーダーシップがあることです。」

「私のチャームポイントは，笑顔です。」 ⇒「私のチャームポイントは，周りの人を癒す笑顔です。」

こんなふうに一言言葉をそえるだけで，ほかの人と差別化できます。

例2

自己PRをするときにキャッチコピーを使う。

「緻密な計算ならお任せあれ，歩く計算機こと○○です。」「老若男女，誰からも愛される笑顔が魅力の○○です」

キャッチコピーを使って，よりインパクトのある表現をするのもよいですね。特に時間に制限があるときや，自己紹介で聞き手に印象づけるときに有効です。

「抽象的な表現はやめて，具体的に伝えること！」で面接官の心をしっかりつかみましょう。そのためには日頃からたくさんの語彙に触れて，使いこなしておくことが大切です。面接は限られた時間での勝負ですから，短い言葉で自己PRや自分の経験談をまとめて言えるようにしておくといいですね。

対策

★言葉を増やすトレーニングをしましょう。

「嬉しい」――飛び上がるくらい嬉しい，ワクワクするほど嬉しい，……

「悲しい」――胸に突き刺さるくらい悲しい，涙が止まらないほど悲しい，……

「笑顔」　――かわいい笑顔，魅力的な笑顔，人を惹きつける笑顔，一度会ったら忘れられない笑顔，……

「行動力」――人より一歩先に動く行動力，みんなを束ねる行動力，誰にも負けない行動力，……

一つの単語に修飾語をつけてみると，一気に語彙が増えて表現力が上がります。同じ単語に対してさまざまな角度から表現できると，聞き手を惹きつけるフレーズが必ず生まれるはずです。

4 話の構成は，「まずは，結論から」を覚えておきましょう

面接ではアンチクライマックス法を

わかりやすい説明のできる人は，面接官の納得を得られ，信頼をも勝ち取ることができます。

逆に説明が下手な人の話は，言いたいことがはっきりしない，話の内容がつかみにくいなどとマイナスの評価になってしまいます。面接の現場で面接官を説得するときに，この「説明上手」が生きてくるのです。あなたが人に説明をするとき，相手を焦らしてワクワクさせながら話をしますか。それとも最初にすぐ結果を教えてあげますか。人に何かを説明するとき，話の内容を構成する方法として，クライマックス法とアンチクライマックス法という二つの手法があります。これはアメリカの心理学者ハロルド・スポンバーグ博士が，議論スピーチの効果的な話し方の研究の中で提唱したものです。「クライマックス」とは，話の「頂点，山場」を意味する言葉であり，それぞれの構成法は以下のようにまとめられます。

クライマックス法

自分の一番言いたいこと，結論を最後にもってくる構成法。最後まで結果がわからないので，「この話はどのような結論を迎えるのだろう」という期待感が持続します。最後に結論が来るので，ある程度時間があるときでないと，話の中心に至る前に相手との話が終わってしまいます。

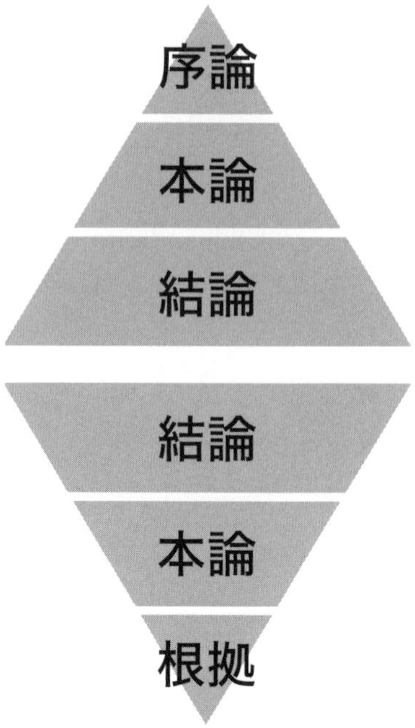

序論
本論
結論

アンチクライマックス法

最初に結果・結論を伝えて，それから話を広げていく方法。話が途中で終わったとしても，最も相手に伝えたい重要なことを最初に話すので効果が期待できます。時間制限のある面接やビジネスの場面で使われることが多いです。

結論
本論
根拠

友人とのおしゃべりなど時間を気にしないでよいときは，ワクワクドキドキさせながら話を進めていくクライマックス法が楽しいですね。でも，面接の場合は一度に大勢の学生がやってきます。そのため，当然時間の制約が生じます。限られた時間の中で，精一杯自分の思いを話すのは大変難しいことです。細かい説明から始まって持ち時間がなくなってきたら，もう挽回はできません。最初に一番言いたい結論を伝えておけば，多少話がずれていったとしても心配はありませんね。面接で話を進める場合は，「まずは結論から」のアンチクライマックス法をお勧めします。

また，構成方法は料理と同じです。どんなに良い作り方がわかっても，良い材料がなければ美味しい料理は完成しません。一流の料理人でも，良い素材がなければ美味しい料理はできあがりませんね。そのためにも，素材をたくさん用意しておきましょう。冷蔵庫の中にたくさんの新鮮で珍しい食材が入っていたら，ワクワクしませんか。そしてここで気をつけなければいけないのは，冷蔵庫の中がぐちゃぐちゃになっていないかです。野菜，果物，肉，冷凍食品ときちんと仕分けされていないと，料理をするのも大変です。これを話に置き換えると，話をするときはまず，自分の長所，学生時代の経験，将来のビジョンなど話の材料がたくさんそろっているかということです。そして，それらがきちんと整理されているかも重要です。もしわかりにくいものがあったら，冷蔵庫の素材をきれいに仕分けするように，「話」の材料をまとめて整理しておきましょう。

対策

★自分の話の材料をそれぞれテーマごとに分けて話の冷蔵庫を作っておきましょう。

冷蔵庫の中の分類は自分の学生時代の経験をもとにたとえば，

1段目：最優先の話

印象に残るエピソードなど，ぜひ伝えたい重要度の高いものから並べておくと時間に合わせて内容の選択ができます。

2段目：頑張った話

アルバイトや部活動での成功と失敗談を基に自分の成果や成長ぶりを伝えられます。

3段目：資格の話

留学や授業でつちかった語学力や特別の資格をアピールできます。

4段目：将来のビジョン

ゼミ，インターンシップなどの経験から将来の自分の姿を伝えられます。

このように，それぞれのテーマがわかるように項目別に引き出しに整理しておくのです。料理をするときのように簡単にはいかないかもしれませんが，こうして自分の中で整理しておけばどんな質問がきても，「よし，経験談ならこれ」「時間がないときはこれだけは言っておこう」というように，いつでも冷蔵庫から話を取り出して，あとはうまく料理（構成）していけばよいのです。

5 面接官との会話のキャッチボールを楽しみましょう

話上手は聞き上手です。聞き上手になるには

会話は，「話す」と「聞く」という「問いかけ」と「反応」によって成り立っています。言い換えれば，「相手の言うことを聞くことができなければ，話せない」という極めて当たり前のことに行き着くのです。しかし話下手な人は往々にして，この「聞く」がよくできていない人ではないでしょうか。「聞く」は「話す」ことを前提に成り立っています。このことを忘れて「どうやって話すか」ばかり考えていては，いつまでたっても上手な話し方は身につきません。

実は，話し上手な人は相手の質問を用意しながら話しています。たとえば「私は200人をまとめる行動力があります。」と言うと，面接官は「それはどんなふうに？」と聞きたくなると思います。相手は自分が聞きたいと思うとどんどん質問したくなります。惹きつける言葉をたくさん用意してそれを上手に使いながら，面接官と会話のキャッチボールを楽しみましょう。

とはいえ，会話は相手の受け答えによってどう流れていくかわかりません。自分の予想していなかった質問が来て沈黙が流れてしまうなど，困ったケースが起きることがあります。そんなときには，以下にあげる心構えを覚えておくと安心です。

対策

（1） 慌てないこと――用意してきた質問とは違う予想外のことを聞かれて焦る気持ちはよ

くわかります。でも焦っても何もいいことはありません。焦って動揺した様子は，表情や声のトーンに現れてしまいます。変に知ったかぶりはしないで，わからないことは，素直に「申し訳ありません。勉強不足で知りませんでした。」と伝えましょう。あるいは，「少々，お時間をいただけますか。」と考える時間をもらう方法もあります。

（2） 正直に聞き返すこと──何を言ったらよいのかわからなくなったら，困った表情で無言になるのではなく，面接官が最後に言ったことを繰り返して「〜ということですか」と聞き返してみましょう。また，緊張のあまり質問の内容を忘れてしまった場合は，「申し訳ありませんが」とクッション言葉を入れたうえで，「もう一度おっしゃってもらえませんか」と聞き返すこともできます。

面接の言葉選びやまとめ方，いくつかのヒントが参考になりましたか。自分より年上の面接官，大勢のライバルたち，面接で緊張するのは当然のことです。でも焦らず，恐れず，自信をもって面接に臨んでください。面接官から投げられたボールをうまく受け止められなくても，もう一度拾ってしっかり投げ返せばよいのです。面接官が自分の話に乗ってきたら，つまり面接官と言葉のキャッチボールがうまくいけば，大きな手応え，成果が出たと思っていいでしょう。面接は限られた時間の中でいかに自分をアピールできるかが勝負です。暗記したコメントを一方的に話すのではなく，他の人にはない自分なりの表現をたくさん見つけて面接官を惹きつける言葉のキャッチボールを心がけましょう。

就活力アップ！「あなたはここを見られている！」プロが語る極意

永野浩美

人事担当者・キャリアアドバイザー・専門家からのアドバイス　その1 応募書類

AI導入で，就活をどう乗り切る？

企業の採用活動にAIを導入する企業が出始めています。かつては，各企業の担当者などが応募書類に目を通し，ふるいにかけていましたが，今や人工知能が書類選考する時代。人間であれ，AIであれ，細心の注意を払って書類作成しなければならないのはもちろんですが，人間の目ではスルーされていた内容が，より厳しくチェックされる可能性大です。

まず注意したいことは，記述内容の正確性。誤字・脱字がないか，記入もれはないかなど，何度も読み返してチェックしましょう。書類を正確に記すことはビジネス文書の基本のキ。問題がある書類と判断された時点で，はねられます。

次に，論理矛盾はないか，説明や主張に一貫性があるか，内容にも踏み込んできちんと確認すること。たとえば，A項目で記述したことと，B項目で説明していることとがちぐはぐな内容になっている書類です。自分の思い込みだけで突っ走ると，思わぬところに落とし穴があったりするのでご注意を。

さらに，企業が意識して使っているキーワードや企業理念などをいかに理解し，それをうまく咀嚼しているかもポイントの一つ。AI導入で，それらを瞬時に判断されるからです。自分自身の経験や考えと結びつけ，具体的に積極的にアピールしたいものです。

作成した書類を自己チェックするだけだと，思わぬミスに気づかないこともあるでしょう。提出する前に，他の人に読んでもらうことをお勧めします。そのためには，時間の余裕をもって書類を作ること，周りの人からの指摘やアドバイスを謙虚に受け入れる姿勢があることが大切です。

AIによる選考は，新規採用の時間もコストも削減したい企業にとって，救いの手。とりわけ，応募書類が何百通，何千通と来る企業にとっては，積極的に活用したいところでしょう。とはいうものの，人間であれ，AIであれ，基本は同じ。書類審査で残念な結果にならないよう，事前準備を怠りなく。

人事担当者・キャリアアドバイザー・専門家からのアドバイス　その2 服装・身だしなみ

「皆と同じ」だからといって安心しない

就職活動にリクルートスーツが今や当たり前の光景になりましたが，あえて「普段の服装で」と指定される企業もあるようです。服装や身だしなみについて，何をどこまで求めているかは，業界，企業によってさまざま。たとえば，金融業界とアパレル業界では，まったく異なる考え方をもっているといっていいでしょう。リクルートスーツ以外で面接に臨む場合，何を用意するかは悩ましいところですが，それも含めての企業研究。自分一人では判断がつきにくいときこそ，先輩など他の人のアドバイスに耳を傾けることも必要でしょう。

だからといって，リクルートスーツだから安心，というわけではありません。むしろ，皆と同じだからこそ，その差が際立ちます。ジャケットはもちろん，ズボンやスカート丈など，自分のサイズに合わせて選ぶこと。面接では，立つ，座る，お辞儀するなどを通し，その都度動きを見られています。

高級なスーツやシャツである必要はありませんが，きちんと手入れされているかどうかがポイントです。シミやしわがついているなど，もってのほか。ズボンの折目にはしっかりアイロンをかけておきましょう。あまり意識していない人もいるようですが，足元もしっかりチェック。歩く姿勢にも影響しますので，靴選びも要注意です。汚れたままだったり，紐がほどけていたりなど，まさに足元を見られることのないよう，靴の手入れも忘れずに。女性の場合，ナマ足は厳禁。どんなに暑くても，きちんとストッキングを着用したうえで，パンプスを履きましょう。もちろん，肌色に近い色を選ぶこと，パンプスにソックスは NG。男性は，白いソックスではなく，黒や紺で。当たり前のことですが，ドスドス歩く，足を引きずるなども気になるところ。歩き方にも気をつけなければなりません。

面接では，普段の姿勢や態度，生活習慣がついつい出てしまうもの。話す内容はもちろんのこと，身だしなみ，立ち振る舞いなど，あらゆる点から判断されています。

人事担当者・キャリアアドバイザー・専門家からのアドバイス　その3 面接

▶ 謙虚さ，誠実さ，感謝の気持ちがカギ

会社説明会や面接など，人に接するときは，常に態度や言動に気をつけなければならないことはいうまでもありません。そう頭で理解していても，いくら事前に模擬面接などの練習を重ねていても，思わず「素」が出てしまうこともあるでしょう。むしろ，その人らしさが見え隠れして微笑ましい例もあるなど，悪いことばかりだとはいえませんが，慎まなければならない，気をつけたほうがいいという例をあげてみましょう。

❶ 声が小さい。笑顔で受け答えできない

緊張しているからでしょうが，元気がない，明るさが感じられないのは，最も気をつけるべきマイナスポイント。営業職や接客・サービスに携わりたい人はもちろんのこと，仕事をするうえですべての人に求められている点です。

❷ 予想外の質問に黙り込んでしまう

面接に向けて，どんなに事前準備を重ねたとしても，本番で予想外の質問を受けることもあるでしょう。びっくりしてしまったり，答えが思い浮かばなかったり。しかし，そこで沈黙しすぎないこと。どんな質問に対しても，何かしら言葉にして伝えられるようにしておかなければなりません。質問に対する答えがわからないなら，わからないなりに，そのことを誠実に言葉にして伝える必要があります。わざと意地悪な質問をしてきたり，関係なさそうなことをふってきたりする面接官もいるようですが，落ち着いて受け答えできるようになっておきたいもの。多角的に情報を収集したり，自分の考えを言葉にして伝えられるようにしたりするなど，普段からしっかり備えておきましょう。

❸ 面接で笑いをとる必要はない

たまにいます。面接官を笑わせようとしたり，うけを狙って発言したりする人が。なごやかな雰囲気を作ろうとする気持ちは大切ですが，過剰に意識する必要はありません。お笑い芸人になりたい人や関係する仕事に就きたい人ならともかく，無理に笑わせなくても大丈夫。むしろ，笑顔を忘れず，やわらかい表情で受け答えすることのほうが大切です。

❹ 日常会話の癖がつい出てしまう

面接などでは，もちろん丁寧に受け答えする必要があると皆わかっています。が，つい普段の言葉遣いや口癖が出てしまうもの。たとえば，「なんか」「ちょっと」「～って，ゆうかぁ」「～でぇ（文中を強くしたり，伸ばしたりする）」「～けどぉ」などは，耳障りな使い方の典型です。日常会話で頻繁に使われる「やばい」なども，要注意ワード。無意識で使ってしまうことも多いようです。受け答えの様子を第三者に見てもらってアドバイスを請うなどのほか，普段の話し方を録音したり，録画したりして，自分の癖などに気づくことが，最初の一歩です。

❺ 会社の前やまわりで座り込んだりして時間をつぶさない

面接や約束の時間など，早めに着くように準備するのが基本ですが，早く着きすぎたからといって，この行動はかえってマイナス。建物の前や横などで，やたらスマホをいじって時間をつぶすのも慎みましょう。

❻ オフィス内でキョロキョロしたり，うろうろしたりしない

面接の際，待合室などに通されたら，そこで待つこと。トイレに行きたいときは，案内の人に場所を教えてもらうなどし，用が済んだらすみやかに戻って来ましょう。社内に設置された喫煙所などを勝手に使う人がいるようです。マナーがなっていない人という印象を与えないよ

う，一言声をかけてから。また，面接が終わったあとは，緊張状態から解放され，つい緩みがち。誰かに報告したくて，すぐにスマホを取り出し，メッセージを送るなども NG。面接会場だけではなく，社内外のどこで誰に見られているかわかりません。会社を出るまでは，身を引き締めて。

❼ 誰に対しても丁寧に

面接官や担当者だけに評価されればいい，ということではありません。受付スタッフや案内してくれる人なども含め，常に感謝の気持ちをもって接すること。あいさつ時に会釈する，お見送りしてもらったら，きちんと頭を下げる，お茶などをいれてもらったらお礼を言うなど，言葉と態度で示しましょう。名刺は両手できちんと受け取ります。もらったあとは，落としたり，ぞんざいに扱ったりしないように。「失礼します」「ありがとうございます」などは，オフィスで頻繁に使われる基本のあいさつ。大きな声で，きちんとあいさつできるかどうかは社会人としての第一歩です。

日本語敬語トレーニング　正しい敬語を駆使してコミュニケーションの幅を広げよう

永野浩美

❶　一人称は何を使えばいいか

「ボク」「オレ」「アタシ」など，日本語の一人称は，実にいろいろな表現が可能です。場所や相手，気分などに合わせて，自在に使い分けることができるというメリットをもつと同時に，その使い分けが悩ましい点でしょう。面接では，男性であれ，女性であれ，「わたくし」が基本。「自分」というのが口癖になっている人もいるようですが，避けたほうがいいでしょう。思わず,「うち」「うちら」を使ってしまう女性もいるようですが，友達同士ならともかく，面接や公の場ではふさわしくありません。普段，どんな言葉で自分自身のことを語っているか，つい面接でも出てしまいがち。特に，慣れないうちは，常に意識して使う必要がありそうです。もっとカジュアルに話せるケースもあるでしょうが，まずは誰に対しても失礼がない言葉を選びましょう。

❷　「～いただいてください」は誤用。尊敬語と謙譲語の違いを理解する

敬語の難しい点は，相手をたてる尊敬語と自分を下げて相対的に相手を上げる謙譲語との２種類があること。混乱しやすい例も少なくありません。たとえば，来客にお茶などを勧めるとき,「どうぞ**いただいて**ください」は間違い。尊敬語「召し上がる」を使うべきところなのに, 謙譲語「いただく」が出てしまったようです。「どうぞ**召し上がって**ください」が正しい使い方です。

❸　丁寧にすればいいというものではない。二重敬語に要注意

では，この例はどうでしょう。「ご昼食を**召し上がられましたか**」。「召し上がる」は相手の行為を高める「食べる」の尊敬語。一見, 大丈夫なように思えますが, 問題は,「召し上がる」と尊敬の助動詞「～られる」を合わせて使ってしまった, いわゆる二重敬語。より丁寧に，という気持ちが働いたのかもしれませんが，過剰に尊敬語を使う必要はありません。敬意を払うべき相手であっても，「ご昼食を**召し上がりましたか**」とすればOK。ちなみに,「昼食」を丁寧にするのは,「ご昼食」。名詞などにつける「お」と「ご」も，意識して上手に使い分けたいものです。

❹　「～させていただく」の落とし穴

「その仕事，私に**やらさせて**いただけませんか」。これもよく起こる間違いです。「せる / させる」は使役の助動詞。前に来る動詞によって，どちらをつけるかが決まっています（「せる」は五段活用動詞,「する / ～する」につき,「させる」は，上一段・下一段動詞,「来る」につく）。したがって,「私に**やらせて**いただけませんか」が正解。文

法上，「せる」をつけるべきところを，「させる」にしてしまう「さ入れ言葉」を問題視する専門家もいます。「読まさせていただきます」「休まさせていただきます」なども同様の間違いです。また，面接などにおいて，やたら「～させていただく」を使いたがる人も。「～させていただく」は相手の許可や同意を得て，自分の行動に結びつけるという謙虚な表現です。丁寧な気持ちを伝えることは大事ですが，これも程度の問題。連発すると逆効果になりかねないので，ほどほどに。

❺ 避けたほうがいい「～じゃないですか」「さきほども申しましたように～」

近年，「～じゃないですか」を，かなりの頻度で耳にするようになりました。相手に注意を促したり，確認したりしながら，同意を得るという機能をもった表現といっていいでしょう。友達同士の会話なら何の抵抗もないかもしれませんが，面接や目上の人との会話においては，できるだけ避けたほうが無難。なぜなら，「～じゃないですか」の裏には，「私の言う通りでしょう」「あなただってそう思っているはず」という含みがあるように感じる人もいるからです。相手に強制しているつもりはなくても，です。同意や共感を求めるなら，「～ですよね」や「～かと思いますが……（いかがでしょうか）」などといった表現も可能です。「～じゃないですか」は，言い方にもよるので，押しつけがましく強く言わないこともポイントです。

もう一つ。面接で同じような質問が出たときに，「さきほども申しましたように～」と，前置き的につける人がいます。これも深い意味はないのかもしれませんが，「さっきも話したのに，聞いてないのか，また言わせるのか」という含みがあると思われかねません。

「私はそうは思わない，そんなふうに使っていない」と異論を唱える人もいるでしょうが，面接など公の場では，言葉に対する受け止め方や意識もいろいろ。誰に対しても，不愉快な思いをさせないこと，できるだけよい印象を与えることが大切。誤解されそうな言動や行動は，慎みたいものです。

もう電話は怖くない！

永野浩美

❶ 積極的に電話を取ろう

電話だからといって，意識しすぎることはありません。確かに，誰がかけてくるかわからない，相手の姿や表情などが見えないなど，不安にさせる点もあるでしょうが，要は慣れの問題。嫌だから，苦手だからといって，いつまでも避けて通れることではありません。メールなどの文字メッセージでのやりとりが増えたとはいうものの，ビジネスシーンでは，電話応対も必要不可欠です。最初は緊張することもあるでしょうが，電話が鳴ったらすぐに出ること。一般的に，かかってきた電話は３コール以内に取ることとされています。特に，最初は積極的に電話を使ってやりとりすることで，少しでも早く慣れるようにしましょう。

❷ 普段よりも明瞭な声で

直接会って話すのと違い，電話では聞き取りにくいことも。また，静かなオフィスでのやりとりとは限りません。どんな環境下で電話をかけたり，かかってきたりするかも，時と場合によりけり。普段より，滑舌よく明瞭な声で話すよう意識してください。

❸ まずはあいさつ，社名など名乗る

＜電話を受けるとき＞

電話を取り，まずは社名，部署名，名前などを名乗ります（どこまで名乗るかは会社による）。「もしもし」と受けるのはNG。相手が会社名や名前を名乗ったら，誰に対しても「お世話になっております」とあいさつするのが基本。たとえ，自分が知らなくても，会社としてお世話になっている企業や相手だからです。

＜電話をかけるとき＞

相手が電話に出たことを確認したら，自分の社名，部署名，名前などを言いましょう。「お世話になっております」との相手のあいさつに，「こちらこそお世話になっております」と返します。そのうえで，話したい相手の名前を伝え，電話を取りついでもらうようにします。

❹ 相手を待たせすぎない

電話に出たあと，他の人につないだり，何か調べたりする必要があって，保留にすることもあるでしょう。待たせている人はそう思わなくても，待っている側は意外に長く感じるもの。時間がかかりそうなときは，一旦電話を切って，こちらからかけ直すことを申し出るなど，相

手への配慮を忘れずに。

❺ メモを取る・復唱する

誰かに取りつぐときも，相手の社名や名前などのほか，用件も的確に把握する必要があります。電話で応対しながら，常にメモを取ること。日時や場所，金額など，ビジネス上の大事な情報が含まれていることも多く，うっかりミスでは済まされません。そのためには，きちんと確認すること。相手の言葉を受けて復唱するのは，電話応対の基本です。

❻ 慌てて切らない

用件が済んだからといって慌てて切らないように。「失礼いたします」ときちんと終わりのあいさつをし，相手が電話を切ったことを確認したうえで切るように心がけましょう。

■監修

荒木　晶子（あらき　しょうこ）
（まえがき）

サンフランシスコ州立大学大学院修士号取得。スタンフォード大学教育学部客員研究員。カリフォルニアのIRI（Intercultural Relations Institute）で異文化研修担当。帰国後 NHK の国際放送ラジオ・ジャパンの仕事に従事し，外資系，日本企業の異文化研修を担当。異文化コミュニケーション学会（SIETAR Japan）創立メンバー。1990 年から桜美林大学でコミュニケーションの理論だけではなく，日本語表現教育である口語表現法のカリキュラム開発に関わり，現在に至る。現在，桜美林大学リベラルアーツ学群教授。著書『伝わるスピーチ A to Z』（実教出版, 2013），『自分を活かすコミュニケーション力』（実教出版, 2011）『口語表現ワークブック』（実教出版, 2004）『異文化コミュニケーション・ワークブック』（三修社, 2001）『自己表現力の教室』（情報センター出版局，2000）など。日本語口語表現教育研究会代表。事務局：194-0294　東京都町田市桜美林大学　荒木晶子研究室。Mail: jap.oee2019@gmail.com

■著

新木　睦子（あらき　むつこ）
（10 章）

フリーアナウンサー，社会情報学修士。群馬大学大学院社会情報学研究科修士課程修了，元群馬県社会教育委員。NHK 前橋放送局，FM ぐんまアナウンサーを経てフリーランスに。FM ぐんまのニュース担当アナウンサーとして出演中。FM ぐんまアナウンスセミナー講師。芝浦工業大学非常勤講師，桜美林大学非常勤講師他，現在 5 つの教育機関で講義を担当中。講演会・イベント・コンサート・各種式典の司会やシンポジウムのコーディネーターも務める。社会人を対象とした研修では「公立校長，教頭のスピーチレッスン」「公立高校新任教諭のコミュニケーション講座」「経営者の話しかた講座」「講師の話しかた講座」「医療コミュニケーション」等を実施。大学では「口語表現Ⅰ」「口語表現Ⅱ」「プレゼンテーション入門」「自己表現とコミュニケーション」「キャリアプラン」「現代社会のしくみ」などの講義を担当。

稲垣　文子（いながき　あやこ）
（9 章）

フリーアナウンサー・話し方講師・ボイス＆スピーチトレーナー。早稲田大学大学院文学研究科日本文学専修修士課程修了。NHK を経てフリー。フリー後，声による表現活動を本格的に始め，以降，アナウンス業のほか声優・ナレーターとしても多くの TV・ステージ出演を重ねる。こうした活動のかたわら，話し方講師として企業研修や講演，ワークショップ，社会人向け個人レッスン，大学非常勤講師等を務める。また近年は，国政選挙候補者のスピーチトレーナーを務める機会も多い。専門分野は，口語表現（話し方・スピーチ・会話術），ボイスデザイン（発声・発話トレーニング法），声の表現（声を使った表現・音読 / 読み聞かせ指導）著書『チャンスと人を引き寄せる話し方』『「口下手でも」人に好かれる会話術』『劇的に変わる！奇跡の話し声トレーニング』他。公式サイト：http://ina-aya.com/

遠田　恵子（えんだ　けいこ）
（8 章）

フリーアナウンサー，桜美林大学老年学総合研究所連携研究員。（株）青森テレビアナウンサー，米国プラントカウンティ日本語補習授業校教師，ロサンゼルス・ラジオパシフィックジャパンアナウンサーを経てフリーに。桜美林大学大学院で老年学修士号を取得。桜美林大学，放送大学，フェリス女学院大学，東京経済大学非常勤講師。音声表現やスピーチ・コミュニケーションの授業を担当。話し方や豊かな老後に関する講演・セミナー・執筆活動のほか，主に NHK ラジオを中心に番組の企画・制作・出演を担当。「東奥日報」「デーリー東北」にコラム連載。著書『自分を伝える話し方～ラジオのアナウンサーから学ぶ』（単著・�出版社），『テレビ報道職のワークライフアンバランス』（共著・大月書店），『放送ウーマンは今～厳しくて面白いこの世界』（共著・ドメス出版）ほか。2003 年度日本女性放送者懇談会会長。

大輪　香菊（おおわ　かぎく）
（p.33，p.87 コラム）

桜美林大学大学院修士（日本語教育学）桜美林大学孔子学院，リベラルアーツ学群卒業。CATV アナウンサー勤務後，フリーランスとなり，NHK ラジオ，NHK グローバルメディアサービス，MXTV，FM NACK5 他でニュースや番組進行を担当。講演の司会，視覚障害者向けの音訳，子どもアナウンス教室の活動も行う。2015 年から桜美林大学（口語表現）非常勤講師，桜美林大学留学生別科，早稲田大学にて留学生の日本語授業の非常勤講師を務める。また，中国残留邦人等支援にも力を注いでおり，中国帰国者支援・交流センターで非常勤講師を務める傍ら，中国残留邦人等の体験と労苦を伝える戦後世代の語り部（厚生労働省）としても活動している。共著『日本語教育の現場から：言葉を学ぶ / 教える場を豊かにする 50 の実践』。

梶谷久美子（かじたに　くみこ）
（p.73 コラム）

アンティオーク大学大学院（在米）にて異文化コミュニケーション学修士号取得。異文化コミュニケーションコンサルタント。EQ グローバルアライアンス公認 EQ トレーナー。ヴォイストレーナー（トマティスメソッド，アレキサンダーテクニーク，ベルカント唱法）。トマティス聴覚カウンセラー。国際メンターシップ協会チーフエグゼクティブメンター。桜美林大学非常勤講師。統合共育研究所チーフパートナー講師。メビウス人財育成大学院大学講師。コミュニケーション能力を支える感情知能（EQ）開発を目的とした対人コミュニケーション，異文化コミュニケーション，リーダーショップ，チームビルディング，発声法と話し方，音読による感情知能（EQ）および自己表現能力開発などの研修を行っている。

片山奈緒美（かたやま　なおみ）
（3 章）

桜美林大学非常勤講師，翻訳者。杏林大学大学院国際協力研究科博士前期課程修了（修士：学術），筑波大学大学院人文社会科学研究科国際日本研究専攻博士後期課程在籍。NHK でニュース・情報番組のキャスターを務めたのち，翻訳・執筆活動に入る。コリンズ『成功する人の「語る力」― 英国首相のスピーチライターが教えるライティング＋スピーチ』（東洋経済新報社），ワイス『スタンフォードが教える本当の「働き方改革」』（ハーパーコリンズ）など訳書は 50 冊を超える。現在は複数の大学で教鞭を執り，オーラルコミュニケーション，多文化共生，日本語教育，翻訳ワークショップ，アカデミック・ライティング等を担当。

斉木かおり（和田薫）（さいき）
（11 章）

元日本テレビアナウンサー，日本テレビ学院専任講師（アナウンサー受験コース，タレント養成コース，個人レッスン担当），桜美林大学非常勤講師（口語表現Ⅰ，Ⅱ担当），敬愛大学非常勤講師（実践会話Ⅰ，Ⅱ社会人のスピーチ指導担当）企業向けビジネスマナー，コミュニケーション研修講師（保険会社の電話応対研修，ベビーシッター面接研修，新入社員研修など）として活動中。立教大学文学部日本文学科卒業，立教大学大学院異文化コミュニケーション研究科　異文化コミュニケーション修士号取得。日本テレビでは，朝の情報番組，ニュース，皇室番組などさまざまな番組を担当し，退社後はフリーアナウンサーとして，ナレーション，イベントやコンサートの司会，番組コメンテーターとして活動中。アナウンサーとしての実務経験やアメリカ，オーストラリアでの駐在経験，大学院での学術的見地をいかして，学生から社会人まで幅広く異文化理解，異文化コミュニケーションの指導を行っている。

鈴木　有香（すずき　ゆか）
（2 章，6 章）

早稲田大学紛争交渉研究所研究員，桜美林大学，明治大学兼任講師。コロンビア大学ティーチャーズ・カレッジにて修士号を取得。上智大学大学院文学研究科教育学専攻博士後期課程単位取得満期退学。ヴァンダービルド大学，カリフォルニア州立大学サンタバーバラ校で教壇に立つ。異文化教育コンサルタントとして，官公庁，企業，専門職団体に対して，コンフリクト・マネジメント，リーダーシップ，異文化コミュニケーション，アサーティブ・コミュニケーションなどの研修を行う。また，インプロ（即興演劇）の役者としても舞台に立っている。著書『人と組織を強くする交渉力』（自由国民社），『交渉とミディエーション』（三修社），『文法の弱いあなたへ』（凡人社）他。2016 年度日本プロジェクトマネジメント協会優秀講演賞受賞。

瀬沼　文彰（せぬま　ふみあき）
（1 章）

西武文理大学サービス経営学部専任講師，桜美林大学非常勤講師。日本笑い学会理事，追手門学院大学 笑学研究所客員研究員。東京経済大学コミュニケーション学研究科 博士後期課程単位取得満期退学。1999 年から 2002 年まで，吉本興業にて漫才師としてタレント活動，テレビ，『ガチンコ』（TBS）などに出演。舞台では，新宿ルミネ the よしもとなどに定期出演。2019 年より，西武文理大学に勤務，現在に至る。専門分野は，社会学，コミュニケーション学。研究テーマは，笑い，ユーモア，キャラクター，若者論。単著『キャラ論』（スタジオセロ, 2007）『笑いの教科書』（春日出版, 2008）『ユーモア力の時代』（日本地域社会研究所，2018）共著『コミュニケーション・スタディーズ』（世界思想社），『キャラ概念の広がりと深まりに向けて』（三省堂, 2018）他。

高山　昇（たかやま　のぼる）
（7 章）

桜美林大学，日本大学，国際医療福祉大学，中部大学非常勤講師。一般企業から私立中学・高等学校の国語科教諭，広島国際大学教授を経て現職。教育学修士（東京学芸大学大学院），芸術学博士（日本大学大学院）。専門は教育方法学，パフォーマンス学。研究テーマは日常生活における対人コミュニケーション教育の理論構築と，トレーニング・プログラムの開発。教育や医療・福祉志望の学生に，コミュニケーション関連の講座を担当。演劇的手法（ドラマ教育）を用いた対人関係づくりの授業を実践。著書に『ドラマ教育入門』（図書文化, 2010），『学校という劇場から』（論創社, 2011），『入門パフォーマンス』（作品舎, 2019）他。日本演劇学会「演劇と教育研究会」運営委員。（社）パフォーマンス教育協会編集委員。

永野　浩美（ながの　ひろみ）
（p.99 〜 p.106，コラム，ステップアップ）

桜美林大学リベラルアーツ学群非常勤講師，青山学院大学青山スタンダード科目非常勤講師。立教大学大学院文学研究科比較文明学専攻修士課程修了，釜山大学大学院日語日文科博士課程単位取得満期退学。釜山外国語大学専任講師を経て，2006 年より桜美林大学にて口語表現および日本語プログラム担当。民間企業と連携し，韓国人留学生の就職支援プログラムで日本語スピーチ，ビジネスマナー，プレゼンテーションなども指導。専門分野は日本語教育学，日韓対照言語学。その他の活動として，社会人向けの韓国語講座を主宰。フリーランスライターとして，執筆活動も行っている。

古谷　知子（ふるや　ともこ）
（p.77 ステップアップ）

桜美林大学リベラルアーツ学群非常勤講師。サンフランシスコ州立大学大学院スピーチ・コミュニケーション学部修士課程修了。専門はスピーチ・コミュニケーション。口語表現Ⅰ，口語表現Ⅱ，議論とディベート，プロジェクト対人援助で磨くコミュニケーション力，集団コミュニケーションを担当。日本ピアサポート学会所属。ピアサポートトレーナー。著書に『プレゼンテーションの基本　協働学習で学ぶスピーチ〜型にはまるな，異なれ！』（凡人社，2018）。現在，コミュニケーション促進ゲームツールアプリの開発中。

山崎　貞子（やまさき　さだこ）
（5 章，p.42 コラム）

お茶の水女子大学大学院博士号（人文科学）取得，桜美林大学非常勤講師，文教大学非常勤講師，専門分野，日本語学，文法論，語彙論，言語表現とコミュニケーション。伝統文化の身体技法とことばについて茶道を通して考察。裏千家茶道講師として地域ワークショップ開催。その他，辞典編集の協力者として「現古対照文法辞典」（2014 〜 2017 科研費研究），『古語大鑑』（東京大学出版会）に携わる。「仮名日記の時間副詞の文法的意味と述語形式」『日本語形態の諸問題』（ひつじ書房），「茶道における道具と動作の考察」『鈴木泰先生古希記念論文集』（日本語文法研究会）。

山田　彩子（深沢彩子）（やまだ　あやこ）
（4 章）

桜美林大学・昭和女子大学非常勤講師 / フリーアナウンサー（深沢彩子名）。早稲田大学教育学部国語国文学科卒業，佛教大学通信教育部大学院文学研究科修了，学位：修士（文学）。専門領域：音声学，日本語学。論文：「『朗読者の意図』と『聞き手の評価』－イントネーションを中心に」（佛教大学大学院紀要　第 37 号）ほか。実務における専門領域：アナウンス，ナレーション，朗読，放送番組構成・選曲。ラジオ福島アナウンサーを経て，フリーアナウンサーとして活動。現在の担当番組：NHK FM「歌謡スクランブル」構成・DJ（「日本のロック〜誕生から現在まで」でギャラクシー賞候補。番組開始から約 30 年担当）。俳優・白坂道子氏と朗読ユニット「語り工房」を共催，朗読公演「万葉の風 2010 〜歌そして言霊」構成・出演で芸術祭参加。

日本語口語表現教育研究会（経歴別掲 p.108,109）

■監修

荒木晶子（あらきしょうこ）

■著

新木睦子（あらきむつこ）
稲垣文子（いながきあやこ）
遠田恵子（えんだけいこ）
大輪香菊（おおわかぎく）
梶谷久美子（かじたにくみこ）
片山奈緒美（かたやまなおみ）
斉木かおり（さいき）
鈴木有香（すずきゆか）
瀬沼文彰（せぬまふみあき）
高山　昇（たかやまのぼる）
永野浩美（ながのひろみ）
古谷知子（ふるやともこ）
山崎貞子（やまざきさだこ）
山田（深沢）彩子（やまだあやこ）

●表紙・本文基本デザイン——アトリエ小びん 佐藤志帆
●DTP 制作——ディー・クラフト・セイコウ

社会を生き抜く伝える力 A to Z
心・言葉・声 11 のレッスン

2020 年 3 月 31 日　初版第 1 刷発行
2023 年 1 月 31 日　初版第 4 刷発行

●執筆者　荒木晶子　ほか 14 名（別記）
●発行者　小田良次
●印刷所　有限会社ウィット創進社

●発行所　**実教出版株式会社**
〒102-8377
東京都千代田区五番町 5 番地
電話［営　　業］（03）3238-7765
　　［企画開発］（03）3238-7751
　　［総　　務］（03）3238-7700
https://www.jikkyo.co.jp/

ISBN 978-4-407-34894-1　C0036　　Printed in Japan